L'IMPRÉVISIBLE

DU MÊME AUTEUR

Mon cher Jean... de la cigale à la fracture sociale, Zoé, 1997.
Le Mystère Machiavel, Zoé, 1999.
Nietzsche ou l'Insaisissable Consolation, Zoé, 2000.
La Chambre de Vincent, Zoé, 2002.
Victoria-Hall (prix du premier roman de Sablet), Pauvert, 2004 ; Babel n° 726.
Dernière lettre à Théo, Actes Sud, 2005.
L'Imprévisible (prix des Auditeurs de la Radio suisse romande ; prix des Lecteurs Fnac Côte d'Azur), Actes Sud, 2006.
La Pension Marguerite (prix Lipp), Actes Sud, 2006 ; Babel n° 823.
La Fille des Louganis (prix Version Femina Virgin Megastore ; prix Ronsard des lycéens ; prix de l'Office central des bibliothèques), Actes Sud, 2007 ; Babel n° 967.
Loin des bras, Actes Sud, 2009 ; Babel n° 1068.
Le Turquetto (prix Page des libraires ; prix Jean-Giono ; prix des libraires de Nancy-*Le Point* ; prix Alberto-Benveniste ; prix Culture et Bibliothèques pour tous ; prix Casanova), Actes Sud, 2011 ; Babel n° 1184.
Prince d'orchestre, Actes Sud, 2012 ; Babel n° 1253.
La Confrérie des moines volants, Grasset, 2013 ; Points n° 3326.
Juliette dans son bain, Grasset, 2015 ; Points n° 4253.
L'Enfant qui mesurait le monde, Grasset, 2016.

ISBN 978-2-7427-7717-4

METIN ARDITI

L'IMPRÉVISIBLE

roman

BABEL

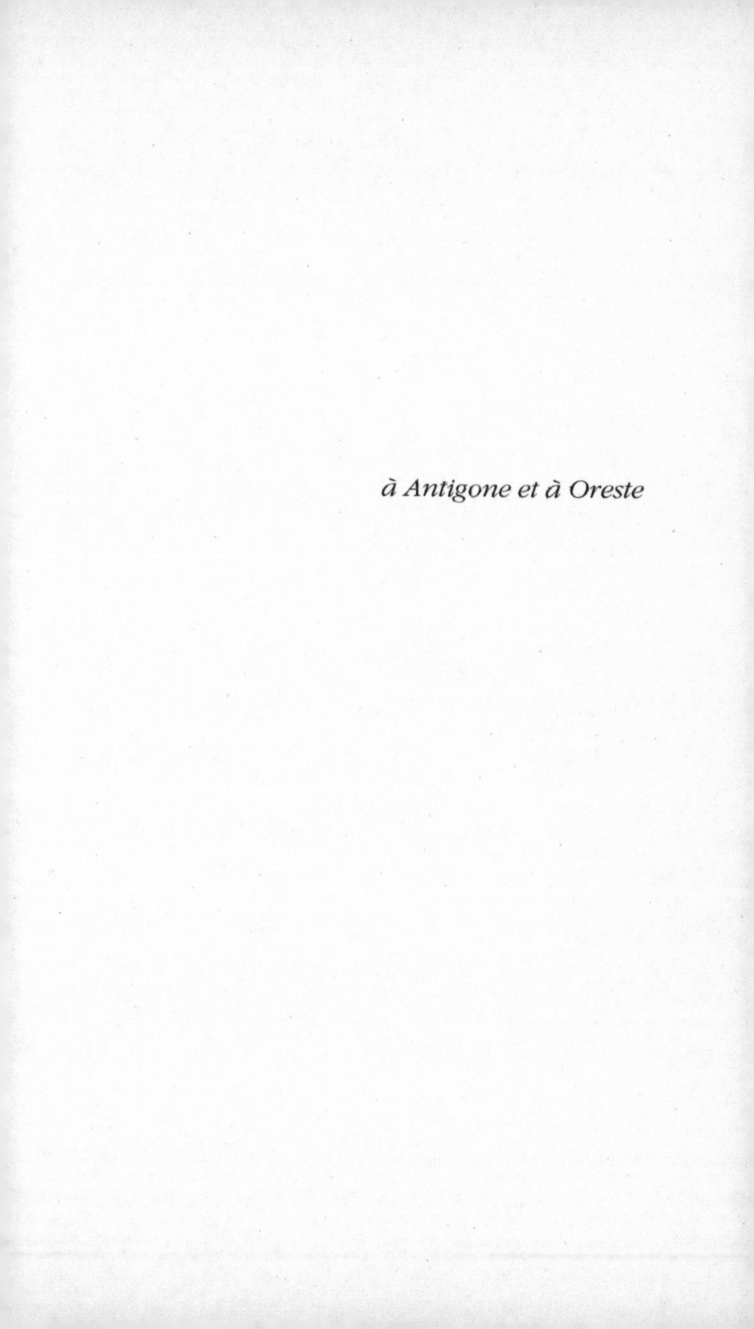

à Antigone et à Oreste

Un temps pour naître et un temps pour mourir.

Ecclésiaste

PROLOGUE

QUELQU'UN me prend la main. C'est une main d'homme, chaude et sèche. J'aurais mieux aimé une main de femme. J'aurais beaucoup aimé qu'une femme m'embrasse. N'importe quelle femme. Un baiser mouillé. J'aurais encore plus aimé que mon père me caresse les cheveux. Qu'il pose sa main sur ma tête, comme il le faisait. Longuement. On aurait dit qu'il voulait effleurer mes pensées. Il la descendait ensuite sur ma joue et ma bouche venait se coller à sa paume. Ma mère lui disait toujours : Mais, comment tu le caresses, ton fils ? Je le caresse comme un père caresse un fils formidable, répondait mon père. Il prenait un air offusqué, sourcils froncés, me regardait, et disait : *"Vero, Guido ?"* Puis d'un coup il me souriait, de son sourire immense qui l'éclairait tout entier. En ces moments-là, mon père n'était rien d'autre que cette lumière, destinée à moi et à moi seul.

— Vous aurez une valve aortique toute neuve.

La table d'opération est si étroite que je me tiens raide comme au garde-à-vous. Une main soulève ma blouse. Comme elle est nouée au cou, on la retrousse depuis le bas. Je ferme les yeux, honteux d'être ainsi dévoilé. Pas un mot de prononcé. Après de longues secondes, le tissu est rabattu.

J'entends deux infirmières qui vont et viennent. Elles parlent comme si je n'étais pas là.

— Comment il s'appelle ?

— Gianotti. Guido Gianotti. Je crois qu'il est professeur.

— Prof ? Tu es sûre ?

— Pas de médecine. Prof d'histoire, ou d'art, quelque chose comme ça.

— Franchement, je préfère.

Elle rit.

J'ouvre les yeux. Une lampe m'éblouit. On a dû l'allumer pendant que j'avais les yeux fermés. Elle ressemble à un insecte de nuit qui aurait trois gros bras translucides. Sur l'un d'eux, je lis : Hanaulux.

Un nom désagréable. L'insecte me fait peur. Je tourne la tête à droite. Un cadran, incrusté à fleur de mur, affiche ses quatre zéros rouge vif sur fond noir. Il me rappelle le cadran de la vente aux enchères. C'était hier. Non, avant-hier. Au salon Impératrice. Qu'est-ce qu'il y avait comme monde... Et Rebecca Fleisher... Je n'ai jamais vu une femme si laide. A l'heure qu'il est, toute la presse doit être au courant.

Mon regard effleure ma blouse. Elle est couleur vert pomme. Vert Granny Smith. Tout ici est vert Granny Smith. Les masques, les couvre-têtes, tout. Moi j'aime les pommes Golden. Elles sont suaves. Leur texture se laisse faire. Les Granny Smith sont dures. Ce "crac" qu'elles font sous la dent... Elles sont juteuses, c'est vrai. Plus que les Golden. Mais si acides ! Rien que d'y penser, j'en ai la bouche qui se contracte.

Une douleur me foudroie le poignet droit.

— Il a la radiale drôlement dure.

Je sens un goût de métal sous la langue. Mes mâchoires claquent. J'ai l'estomac tiraillé par des gaz. Je tente de les expulser en silence, mais je n'ai pas la force de les contrôler. Ils sortent dans un bruit gras et long.

— J'ai très froid.
— Détendez-vous.
Je serre la main de l'homme. Elle me répond par une pression.
— Pensez à quelque chose d'agréable et comptez de dix à un.
Je compte à rebours : Dix… Neuf… Huit…

DIX

ANNE-CATHERINE avait appris à ouvrir une porte comme on apprend la valse ou les arts de la table, dans le souci de marquer son rang. Elle y avait mis ce qu'il fallait d'impatience et de sécheresse pour faire comprendre au visiteur : Vous êtes ici chez moi, mon cher monsieur. Si je veux, je vous chasse.

Sa poignée de main, courte et sûre, était celle d'une sportive. Je l'imaginai montant à douze ans des chevaux nommés Hoola-Hop, Confiture, ou Zarathoustra.

— Mille et une excuses, je vous ai fait attendre ! Vous voulez bien me pardonner ?

Ses excuses sonnaient si faux que du coup elles étaient d'une franchise absolue : Vous avez droit à des excuses de façade, mon bon monsieur. Vous ne vous attendiez pas à ce qu'elles soient sincères ?

— Guido Gianotti, enchanté.

Elle portait une robe de soie beige, près du corps, qui soulignait à la fois sa taille mince et sa poitrine, forte pour une personne de petite stature. Son visage était régulier mais trop carré, presque dur, et de ses yeux effilés, bleu très clair, émanait un regard qui était déjà un reproche : Assez perdu de temps, venons-en au fait. Ses cheveux blonds, coupés très court, lui conféraient un genre "J'assume ma quarantaine, pas de temps à perdre chez les coiffeurs". Je me dis qu'elle était sans doute de ces femmes désœuvrées qui se donnent constamment l'air débordé et parlent avec une impatience forcée.

— Vous êtes de la famille du docteur Gianotti ?

— Le chirurgien ? C'est mon fils.

— Ah, tiens, c'est drôle.

C'était dit sans naturel, comme si elle feignait la surprise. Je me demandai quelle partie de son corps Alain avait tranchée de son scalpel.

Elle s'était assise sur le canapé vis-à-vis du mien et avait replié les jambes d'un geste élégant et rapide, dont je compris qu'il visait surtout à cacher ses mollets, trop forts. A sa hâte de ranger ainsi ses jambes, je me dis que ces mollets étaient peut-être l'un des drames de sa vie. Elle devait y penser vingt fois par jour.

— Harper's m'a proposé une liste de cinq experts, votre nom y figurait, vous étiez le seul à habiter Genève, je me suis dit : Pourquoi pas ?

C'était dit à toute vitesse.

— Genève, c'est plutôt les bijoux. Les ventes aux enchères de tableaux se font surtout à Londres ou New York, on y trouve les meilleurs experts. Mais la Renaissance florentine, c'est resté ma spécialité, alors…

— Alors… ?

Pendant que sa voix restait sur "alors", elle avait imprimé à ses sourcils un mouvement en accent circonflexe qui marquait l'impatience : On attend la suite, mon bon monsieur !

— Et comme je n'enseigne plus, j'ai du temps libre. J'ai pris ma retraite il y a trois ans.

— Vous avez l'air plus jeune, si, si, je vous assure.

Les mots se bousculaient dans sa bouche comme si elle les expédiait : Une corvée, mon bon monsieur, toutes ces gentillesses, mais enfin, s'il faut passer par là…

— Donc, votre spécialité, c'était... racontez-moi !

Ce "racontez-moi", c'était l'étendard de sa charité : Je m'occupe du monde qui nous entoure, moi qui ai tellement de chance. Je la voyais raconter la scène à ses copines. Alors j'ai dit à ce brave professeur qui vient de prendre sa retraite : Racontez-moi ! Et franchement, je crois que ça lui a fait du bien de parler...

Je me disais que l'expression "dame patronnesse" était juste. On s'approprie ses pauvres. On en fait sa propriété. On en devient patron. Il faut du talent pour cela. De l'appétit. Etre doté d'une âme assez forte pour aller chercher le nécessiteux qui sommeille en chacun, le réveiller, en faire l'anamnèse. Pas question d'être prise par ses sentiments. Une dame patronnesse doit avoir le regard lucide. C'est grâce à lui qu'elle accédera au triomphe : Mesdames et messieurs, cet homme que vous ne soupçonniez pas d'être dans le malheur est désormais estampillé à mes armes ! Mon pauvre à moi toute seule !

Racontez-moi, avait dit Anne-Catherine, et me voilà conquis comme une part de marché.

Elle me rappelait à l'ordre :

— Oui, votre spécialité ?

— Le Cinquecento florentin. Le XVIe.

— Mais... le Cinquecento, c'est bien le XVe ?

— Non, Cinquecento, c'est pour dire mille cinq cent et tant, c'est le XVIe.

— Parfait ! Vous savez, le tableau que j'ai demandé de faire expertiser, c'est plutôt le genre croûte. Enfin, je ne veux plus le voir. Il en a trop vu lui aussi. Mon mari – je devrais dire mon ex-mari –, à qui je l'avais offert, l'avait suspendu à l'entrée du petit appartement où il gardait sa collection de manuscrits. Je vous passe les détails.

Comme tout le monde à Genève, j'étais au courant des déboires conjugaux d'Anne-Catherine Hugues. L'affaire avait fait le tour de la ville. Son mari, Armand, vivait une idylle avec une soprano tchèque de quinze ans sa cadette, Tatiana Kutman. La chanteuse, qui était venue passer trois mois à Genève pour préparer le fameux concours de chant, avait dû se retirer au stade final de la compétition : Armand Hugues subventionnait le concours et affichait leur liaison... Une "question urgente" avait été posée par la gauche au conseil municipal : "A qui profitent nos institutions culturelles subventionnées ? Aux riches !" La presse en avait parlé à demi-mot, et la Genève bien pensante s'était régalée dans la discrétion.

Ses yeux étaient soudain moins impatients. Les traits de son visage s'affaissèrent et je profitai de ces instants durant lesquels elle avait baissé sa garde pour la détailler. Son visage, marqué de très fines pattes-d'oie, était ravissant, avec un nez court, une bouche mince mais gracieusement ourlée. Sa peau, surtout, semblait de la vraie soie. Quarante, quarante-cinq ans. Pris par le plaisir, je m'attardai à la découvrir, jusqu'à ce que nos regards se croisent à nouveau. Ses yeux avaient retrouvé leur belle dureté, et je fus frappé, comme j'allais l'être souvent plus tard, par sa capacité à chasser le désarroi d'un coup, très vite. Mon état des lieux ne lui avait pas échappé. Elle resta sur ses gardes mais se laissa observer.

Depuis que j'avais pris ma retraite, je ne retrouvais plus dans les yeux des femmes l'admiration que m'avaient longtemps procurée mes activités de professeur. J'étais alors payé pour parler de beauté, et les occasions qui m'étaient offertes de briller étaient nombreuses. Mes classes comptaient autant de jeunes étudiantes que de femmes venues en auditrices libres, parmi lesquelles beaucoup avaient dû apprendre à accueillir l'âge. Les premières partaient à la recherche d'émotions nouvelles, les secondes, pour la plupart désœuvrées, m'étaient par avance reconnaissantes du semblant de culture que mon enseignement allait leur offrir. Durant les deux heures de réception hebdomadaires qui suivaient mon cours, celles qui souhaitaient me faire part de leur disponibilité s'installaient sur l'unique fauteuil placé face à mon bureau. Sous le couvert de vouloir approfondir tel ou tel point que je venais de traiter, elles se racontaient avec gourmandise, trouvant toujours un lien entre le sujet traité et leur propre vie : "Vous savez, professeur, c'est drôle, imaginez-vous que la semaine passée, nous étions à Florence, je m'arrête devant un Raphaël aux Offices, et là", etc. Il me suffisait d'écouter. Peu de femmes résistent à l'intérêt qu'on marque à les écouter longuement. La suite s'enchaînait sans peine.

Au fil des ans, le cercle de femmes qui m'attirent s'est élargi. Les très jeunes gardent leur attrait, et celles qui ont vécu davantage me paraissent appétissantes à un âge sans cesse plus avancé. La fourchette s'étend désormais de vingt à soixante ans. Mais je suis hanté par l'échec. Mon souci n'est plus de séduire. C'est d'avoir une érection assez ferme qui tienne un temps honorable.

Les jeunes femmes me font perdre la tête. La souplesse de leur démarche, le soyeux de leur peau, le mouvement impudent de leurs formes, tout en elles me transporte. Mais j'anticipe avec épouvante le rire qui tue. Celui qui suit la surprise : Vous… ?

Celles qui connaissent mieux la vie font preuve de bonne volonté. Mais ce n'est là que le fruit de leurs propres affres. Elles savent les effets de l'âge. Cela les rend compréhensives, mais ne suffit pas. Je les détaille avec soin, sachant l'effet que pourrait avoir un fessier trop lâche ou une poitrine sans forme sur une érection déjà hasardeuse.

Plus jeune, je prenais un soin particulier à m'attarder sur ce qui, chez mes compagnes, me paraissait le moins apte à séduire. Ce n'était pas un jeu. Des seins un peu flasques ou une chute de reins mal formée faisaient l'objet de mes attentions répétées. Je me souviens que je caressais, embrassais, flattais plus les mollets d'Isabelle, qu'elle avait épais, que sa poitrine, qui était splendide. L'imperfection de ma partenaire devenait objet de désir, et cela me valait de sa part un abandon si grand qu'au moment où je quittais le lit, j'étais porté par ma propre magnanimité.

Désormais j'hésite. Je me cherche des excuses. Pour finir je n'ose plus, tiraillé entre la crainte du rejet et le risque de l'échec. Je suis passé sur l'autre rive. Je le vois à mille détails du quotidien. J'ai toujours aimé accrocher un regard de femme. Il m'est arrivé de passer le plus clair de mon temps, dans un restaurant, à jouer à cache-cache avec les yeux d'une inconnue. Je ne me souviens pas d'une seule occasion où une telle complicité ait débouché sur une aventure. Mais je lisais dans le regard qui s'offrait une confirmation qui suffisait à me combler, et le jeu me plaisait infiniment. Si dans la rue deux beaux yeux s'attardaient sur les miens, cela me mettait en joie. Lorsqu'il m'arrive maintenant de vouloir soutenir un regard, je ne reçois en réponse que des têtes qui se tournent, ou, chez les plus jeunes, des visages qui pouffent de rire. Ces refus pris comme une gifle me causent une douleur mordante. J'ai appris à poser mes yeux là où ils ne risqueront pas d'être croisés.

Lorsque je fis la connaissance d'Anne-Catherine, ma dernière aventure remontait à six mois. "Aventure" est ici un bien grand mot. J'avais décelé chez Hannah, une belle femme blonde d'environ cinquante ans qui me servait chez D., le libraire où elle s'occupait des livres d'art, un regard doux et prometteur, de ceux qui annoncent une complicité amusée.

Hannah n'était jamais venue à l'un de mes cours, parce que, m'avait-elle dit, elle "n'avait pas osé", ajoutant avec un demi-sourire qu'elle en gardait du regret. Je l'avais invitée à dîner chez moi. Au dessert, nous nous tutoyions. Au café, nous nous embrassions goulûment dans la cuisine. J'en profitai pour la palper et conclus que les choses allaient bien se passer.

Dire que ce fut un échec serait prétentieux. Ce ne fut rien. Sur le lit, il n'y eut pas même tentative. Du bouche-à-bouche d'adolescent. Je lui dis : "Je ne comprends pas." Elle me répondit qu'elle avait passé une soirée agréable et se rhabilla. Je l'accompagnai à la porte, où je n'eus droit ni à un baiser, ni à une main serrée, simplement un "au revoir" lancé du palier et qui voulait dire : Tu es un moins que rien.

— La bibliothèque est à côté.

Anne-Catherine avait lancé sa phrase comme un ordre, le regard à nouveau hostile.

Du sol au plafond, l'immense pièce était recouverte de livres. A en juger par leur reliure, c'étaient pour la plupart des ouvrages anciens, de ceux qu'on ne lit pas.

Le tableau était posé à même le sol, son arête supérieure appuyée contre un rayonnage. Il faisait environ quatre-vingt-dix centimètres de haut sur soixante-dix de large. C'était une peinture sur bois, certainement du bois de peuplier. Je savais que du temps de la Renaissance, dans les ateliers florentins, les apprentis tendaient parfois sur le bois une toile de lin sur laquelle ils appliquaient d'abord une couche de *gesso grosso*, du plâtre visqueux, puis plusieurs couches de *gesso sottile* qui avait trempé un mois dans l'eau. Cela rendait la surface à peindre tout à fait lisse.

La partie centrale du tableau occupait près de la moitié de la surface. Elle était rectangulaire à fond blanc, sans doute du blanc de plomb. Un texte y était peint en noir. Je m'en souviens mot pour mot, tant je l'ai travaillé. C'était du florentin de la Renaissance.

> *Non si vede che quelli avessimo altro dalla fortuna che la occasione ; la quale dette loro materia a potere introdurvi dentro quella forma parse loro ;*

e sanza quella occasione la virtù dello animo loro sarebbe rimasta nascosta, e sanza quella virtù la occasione sarebbe venuta invano. Era dunque necessario a Moisè trovare il populo d'Isdrael, in Egitto, stiavo e oppresso dagli Egizzi, acciò che quelli, per uscire di servitù, si disponessino a seguirlo.

"On ne voit pas que la fortune leur ait apporté autre chose que l'occasion ; laquelle leur donna une matière où ils pussent introduire telle forme qui leur parût bonne ; et sans cette occasion, les vertus de leur esprit se seraient éteintes ; et sans ces vertus, c'est en vain que serait venue l'occasion. Il était donc nécessaire que Moïse trouvât le peuple d'Israël en Egypte, esclave et opprimé par les Egyptiens, de façon que, pour sortir de servitude, ils fussent disposés à le suivre."

Sur le *o* du dernier mot s'appuyait le bec d'une plume d'oie tenue par une main qui, avec la plume, constituait la seule partie figurative du tableau.

C'était une main d'homme, très belle, si effilée qu'elle en paraissait presque féminine. Un chemisier à passepoil rouge l'enserrait au poignet, et il n'y avait dans sa manière de tenir la plume ni rugosité ni tension. Son annulaire était orné d'une bague verte sertie d'or sur laquelle était gravé un T stylisé. L'horizontale du T était rectiligne, alors que la verticale partait de la droite et descendait en un mouvement sinueux qui faisait comme un col-de-cygne, un 6 dont la boucle serait inachevée.

La main n'occupait qu'une petite partie du tableau, mais elle lui donnait grande allure.

Le texte était enserré par un cadre rouge, d'environ trois ou quatre centimètres de large. Sur son horizontale supérieure, inscrite en caractères hauts d'un demi-centimètre, figurait une maxime de Virgile qui m'était familière.

*Felix qui potuit rerum conoscere causas**.

La partie extérieure du tableau consistait en un deuxième cadre, brun, large d'environ dix centimètres et constellé d'une multitude de petits motifs. C'étaient des losanges et des carrés, peints dans des tons ocre clair, vert et rouge bordeaux.

L'exécution du tableau était somptueuse, et la main belle à couper le souffle. Pourtant j'étais mal à l'aise. J'avais devant moi l'œuvre d'un grand, j'en

* "Heureux celui dont l'esprit pénètre les secrets."

étais convaincu. Mais quel peintre de renom a jamais consacré la presque totalité d'un de ses tableaux à un texte ? Quelque chose m'échappait.

Debout près de moi, Anne-Catherine guettait ma réaction. Je tournai la tête et laissai glisser mon regard le long de sa robe. Elle remarqua mon coup d'œil, se laissa observer durant quelques secondes, puis fila s'asseoir sur un canapé. Elle ramena ses jambes sous elle, et posa son regard sur mes yeux dans l'attente de mon commentaire.

— C'est une pièce du XVIe, sans doute mi-XVIe, à en juger par le texte, par la technique, et par l'amorce du costume – je pense au passepoil du chemisier. La peinture sur bois de peuplier a été peu à peu abandonnée après 1570. Cela m'amène à penser qu'il s'agit probablement d'une pièce peinte entre les années 1500, à en juger par le style, proche du maniérisme florentin, et 1570, au plus tard 1580. La main est très belle, mais il n'y a pas vraiment de composition, et on pourrait se poser la question de savoir si l'ensemble du tableau n'est pas un fragment de quelque chose de beaucoup plus important. Sa symétrie très forte me pousse à conclure par la négative. Peut-être que la réponse viendra des textes. Leur signification mérite d'être approfondie.

— Comme c'est intéressant !

Anne-Catherine était redevenue elle-même. Une grande bourgeoise, impudente par droit divin et jugeant inutile de voiler sa suffisance.

J'admire les riches. La façon qu'ils ont de se mettre au-dessus des lois de l'humanité moyenne est ridicule, mais ils le font avec un si singulier aplomb que du coup ils inversent les situations, au point qu'on en arrive à douter de leur imposture, et à se demander si ce n'est pas à nous de présenter des excuses.

— J'ai mal récité ma leçon ?

— Enfin, voyons, professeur, nous sommes entre nous ! C'est que j'ai des choses à vous dire, moi aussi ! Mais elles vont vous ennuyer. Des histoires de famille, des histoires genevoises.

Elle était contente de sa trouvaille. Des histoires de famille. Un monde qui vous échappe, mon bon monsieur ! Sympathique, cocasse, plein de fantaisie et de rires, un monde joyeux, quoi qu'on dise, et qui compte même parmi ses ancêtres un vrai brigand, savez-vous ? Chacun y est cousin, on se comprend à demi-mot, et si nous parlons si vite, mon bon monsieur, c'est que chez nous, l'esprit circule !

— Si vos histoires sont liées au tableau, elles ne m'ennuieront pas.

Elle avait reçu le tableau de son grand-père maternel. Il s'était donné la peine d'écrire une petite monographie qu'elle me tendit, une dizaine de feuillets gris couverts d'une écriture élégante, à l'encre violette.

— Lisez, lisez !

L'origine du tableau, racontait le grand-père, figurait dans les *Très dignes histoires*, le récit que Vincent Burlamacchi avait consacré aux réformés de Lucques arrivés à Genève durant la deuxième moitié du XVIe siècle. Le 2 janvier 1577, Cesare Balbini, fils de Turco Balbini, vint *y habiter et exercer la profession de la vraie religion, le Seigneur lui ayant fait la grâce d'abandonner les abominations et l'idolâtrie de la papauté.*

Cesare Balbini avait acheté le tableau aux héritiers de Paolo Giovio, l'évêque de Nocera. Je savais que Giovio était un proche de Cosme Ier, duc de Florence. Il le conseillait sur tout ce qui touchait à ses portraits. Le travail des peintres auxquels le duc passait commande devait exprimer le "juste message", celui qui propagerait sa hauteur de vues et la noblesse de ses actions. Giovio faisait office de "conseiller en image".

La lettre racontait l'attachement de sa famille au tableau : son message console des vicissitudes de la vie, écrivait le grand-père, il nous rappelle notre devoir de faire front, de tirer le meilleur de ce que nous amène la Providence. A nous, par notre vertu, de la modeler. C'est grâce à elle que les princes deviennent grands. Comment Moïse aurait-il pu sauver le peuple d'Israël s'il ne l'avait trouvé soumis à l'esclavage des pharaons ? Prenons exemple sur eux, comme l'ont fait nos ancêtres aux jours de leur exil.

L'interprétation était séduisante. Située à mi-chemin entre la doctrine catholique et les thèses de Calvin, elle constituait un "entre-deux" théologique peu courant. Je compris que les réformés toscans du XVIe aient pu aimer ce mélange de doctrines. Ils y retrouvaient la douceur de la pensée romaine, marquée déjà par l'exigence calviniste.

Je savais aussi que Giovio possédait l'une des plus belles collections de portraits du XVIe siècle florentin. Ses héritiers avaient sans doute trouvé l'occasion de vendre à bon prix une pièce "écrite" qui la dépareillait. Balbini y avait peut-être lu un signe du destin et, au fil des générations, le tableau était resté dans la discrétion de la famille, en souvenir du sacrifice des réformés de la première heure.

Durant les quelques minutes que me prit la lecture de la lettre, le regard d'Anne-Catherine était resté fixé vers moi à hauteur du visage. Sourcils levés, elle était en attente. Non que son attitude exprimât de l'impatience. C'était au contraire une forme de certitude tranquille. Dans les minutes qui allaient suivre, elle aurait droit à une analyse circonstanciée, comme lorsqu'on a commandé une marchandise et qu'on en attend la livraison ponctuelle.

Mal à l'aise, je commençai ma phrase en regardant la bibliothèque :

— La pièce est du XVIe. Une authentique pièce anonyme, si l'on peut dire. Le texte ne présente pas d'intérêt artistique. L'élément qui m'intrigue le plus est la main.

Pour un motif obscur – était-ce ma nervosité, un désir de la blesser, de la ramener au rang des humains ? –, je me mis à parler argent.

— Vous donner un chiffre m'est difficile. Peut-être aux alentours de soixante à quatre-vingt mille euros, ce serait bien payé. Vous savez, des tableaux d'époque, à Florence, il y en a en veux-tu en voilà. Chaque antiquaire possède quelques petits maîtres.

Je n'étais pas franc. La main était celle d'un grand, et pouvoir l'attribuer à un peintre connu aurait permis de changer la donne. Mais je décidai de garder mes effets pour plus tard.

Anne-Catherine était muette, le regard flou.

— Vous êtes sûre que vous voulez vendre ?

Son absence de réaction augmenta ma nervosité et me poussa à me lancer dans des explications.

— La facture de la main est d'une finesse exceptionnelle. Le texte qu'elle vient d'écrire est savant. Le tableau est donc celui d'un très bon peintre, cultivé et même raffiné. J'aurai vite fait le tour des papables. Le thème situe la limite inférieure de la date aux débuts de la Réforme, aux environs de 1520. La peinture est faite sur bois de peuplier… Cela nous laisse une tranche d'un demi-siècle environ…

Elle n'écoutait pas. Le regard perdu, elle dit soudain, comme pour elle-même :

— Mon mari collectionnait les lettres manuscrites des grands hommes. Je lui ai offert ce tableau pour nos dix ans de mariage. Il l'a suspendu dans son "repaire de pirate", comme il appelait le trois-pièces de la place Guyennot où il tenait sa collection. Au-dessus du canapé rouge, à l'entrée. Là où il s'envoyait en l'air avec sa chanteuse. Donc, ça part à la vente.

— Je comprends.

— Si vous voulez.

Elle avait dit cela d'un ton détaché, façon de me faire comprendre que toute compassion de ma part aurait été déplacée. Non qu'elle s'en serait offusquée, simplement, elle y aurait été indifférente.

— Il faudra que je revienne faire des photos. Votre grand-père ne dit rien de l'origine du texte. Il y a aussi ce vers de Virgile. Curieux... Et puis je vais me pencher sur cette main. L'habit, dont on voit l'extrémité, le passepoil rouge, au niveau du poignet, là aussi... Mais je ne peux rien promettre.

— Il ne manquerait plus que ça.

A nouveau elle avait repris le dessus, comme un gymnaste qui, d'un coup, retrouve son équilibre. Je baissai mon regard. Il tomba sur sa poitrine. Elle détourna les yeux et se laissa détailler une fois encore.

— Cette main est très belle.

La remarque me surprit. Elle l'avait prononcée sans emphase.

— C'est une main d'homme, n'est-ce pas ?

Elle laissa passer un silence, puis ajouta :

— Une main d'homme aussi délicate, c'est rare... Vous avez de la chance de passer votre temps à vous occuper de belles choses.

Je ne répondis rien, décontenancé par un ton soudain si naturel.

— Et puis la Renaissance... C'est votre époque préférée, j'imagine ?

— Non.

— Ah bon ?

— J'ai choisi la Renaissance comme sujet de thèse. Un tableau de Raphaël, *Le couronnement de la Vierge*. Et puis c'est devenu ma spécialité, j'y ai acquis une certaine réputation. Mais les goûts évoluent...

— Alors vos goûts, aujourd'hui, ce serait plutôt...

— Rubens.

— Rubens, dites-vous ? Mais il me semble que c'est beaucoup moins... comment dirais-je... raffiné ! Toutes ces grosses cuisses !

Elle lança un rire, contente de son mot. Je l'imaginai racontant la scène à ses copines : Vous m'auriez vue avec ce brave professeur ! Non mais quel rire ! Cela dit, je lui ai cloué le bec, avec ma remarque. Franchement, Rubens...

— Rubens cherche à exprimer la vie vraie. On est loin des manières de salon.

J'aurais voulu lui parler d'un des portraits qu'il a faits d'Isabelle Brandt, sa femme, celui où elle cherche à couvrir sa nudité. Elle le fait d'un geste hâtif, par un livre qu'elle tient des deux mains, et son sourire retenu trahit le plaisir qu'elle ressent d'avoir été ainsi découverte.

J'aurais aussi pu lui parler du portrait qu'a fait Rubens de la marquise Spinola. Il la rend d'une sensualité si dévorante qu'on a envie de lui mordre la bouche. Rubens l'a peinte rouge vif, ourlée comme celle d'une courtisane. Tout dans le tableau est gracieux, et même distingué. Mais la vie est là, vraie, crue, qui gicle.

— Oui, les manières de salon. Vous avez raison.

Elle avait le regard perdu.

— Je vous appelle pour les photos.

— Oui.

Elle était défaite.

NEUF

JE RETIRE de ma bibliothèque tous les ouvrages sur le Cinquecento qui me tombent sous la main. Posés l'un sur l'autre, ils forment une pile haute d'un demi-mètre.

Le premier est le Dussler, l'ouvrage le plus complet sur Raphaël. Il me plonge dans le souvenir. “La symbolique des mains dans *Le couronnement de la Vierge*”, c'était mon sujet de thèse. Le tableau compte vingt-six mains.

La caractéristique des mains chez Raphaël, c'est la force. Raphaël peint des mains vraies. Le jeune homme tenant une pomme a des doigts courts, sans noblesse. La Vierge à l'Enfant a des mains fortes, presque grassouillettes. La Graciola a des mains de paysanne. La Vierge avec l'Enfant et le petit saint Jean tient un livre d'une main vigoureuse. Le prophète Isaïe a des mains de lutteur.

La main du tableau d'Anne-Catherine n'est pas de Raphaël. Elle est trop douce, trop placide. Si ses couleurs n'étaient pas aussi éclatantes, j'aurais pensé à Cimabue. Ses Madones me rappellent les icônes grecques du monastère de Sainte-Catherine. Mais je m'égare. Rapprochement incongru entre Anne-Catherine et Sainte-Catherine. Cimabue... Quelle idée ! C'était deux siècles avant la Réforme.

Le T de la bague pourrait renvoyer à Titien. Non. Le réalisme de Titien est trop puissant, trop dramatique. *Le concert*, le *Portrait de gentilhomme anglais*, le *Portrait de la Bella* m'en convainquent instantanément. Tiepolo ? Non plus. Pontormo ? Non, évident. Il a peint un Cosme l'Ancien aux doigts déformés par l'arthrose. Dans *La Vierge à l'Enfant avec saint Jérôme, saint François et deux anges*, les deux saints ont des mains de vieux, à peau plissée, les ongles longs et mal soignés. Non. Rosso Fiorentino ? Son saint Jérôme dans *La Vierge et l'Enfant en majesté*, aux côtés de saint Jean-Baptiste, saint Antoine abbé et saint Etienne, a des doigts de squelette. Non plus. Je passe en revue d'autres peintres de l'époque : Salviati, Vasari, Allori, Pieri, Maineri, Dosso Dossi. Aucun de ceux-là. Léonard ? Exclu. La représentation des doigts chez Léonard s'apparente à celle de Raphaël, elle est vraie, forte, vivante. Sur le tableau d'Anne-Catherine, la main a des doigts à texture de porcelaine. Non. Botticelli ? Non. Quoique… Le *Jeune homme à la médaille* est peint dans un esprit de référence qui rappelle les manies du Cinquecento florentin. Des deux mains il tient une médaille à l'effigie de Cosme l'Ancien. Pourquoi pas… Je scrute la *Madone du Magnificat* et la *Madone à la grenade.* Je me rends compte que je me suis fourvoyé : Botticelli ne cadre pas avec la fourchette 1520-1570.

Bronzino. Le *Portrait de Cosme Ier de Médicis en armure.* J'ai un vertige. Les doigts de Cosme sont aussi longs et effilés que ceux du tableau. C'est la même main. Peau diaphane. Délinéation des doigts parfaite. Absence totale de tension. Une main de grand seigneur. Le portrait a fait l'objet de copies multiples. La version considérée par tous les experts comme étant l'original est celle des Offices, à Florence. J'en ai une reproduction sous les yeux. Les convergences s'imposent d'elles-mêmes. L'extrémité de la chemise qui déborde de l'armure et enserre le poignet s'achève par un passepoil rouge. Même main ! Même passepoil ! C'est un Bronzino.

Je n'ose le croire. Le tableau que j'ai vu une heure plus tôt chez Anne-Catherine est un Bronzino. Je ferme longuement les yeux, mais l'émotion persiste. Je laisse passer une minute ou deux, puis me remets au travail. Les confirmations se succèdent. Les mains d'abord. Masculines ou féminines, chez Bronzino, elles sont toutes peintes selon la même facture : longues et de texture ivoirine. Sur les portraits d'Eléonore de Tolède, de Laura Battiferri ou de Lorenzo Lenzi, les mains sont libres de toute tension. Le *Portrait d'un jeune sculpteur* montre le personnage tenant à deux mains une statuette haute d'environ quarante centimètres qui semble ne rien peser. Dans la *Déploration*, la main gauche de la Vierge qui porte Jésus descendu de la croix tient le Christ sans aucun effort apparent. Sa main droite, qui le soutient par la hanche, est à peine tendue. Le *Jeune homme au luth*, le portrait d'Ugolino Martelli, le *Portrait d'un jeune sculpteur*, celui de Lodovico Capponi – énigmatique lui aussi –, le portrait du sculpteur Pierino da Vinci, mains posées sur un carnet d'esquisses, le portrait de Luca Martini – les mains tenant une carte de la région de Pise –, chacun de ces tableaux renforce ma conviction : c'est un Bronzino !

Mes pensées dérivent vers Anne-Catherine. Je m'imagine lui racontant ma découverte. J'en souligne la subtilité, lui laisse entrevoir l'astuce qu'il m'a fallu pour en arriver là, me glorifie. Voilà qu'elle m'écoute avec admiration... Je dérape...

Je m'en rends compte, et me remets au travail.

Je retire de ma pile le Brock, l'ouvrage le plus complet sur Bronzino. Alors que j'en redécouvre les pages, un constat me frappe. Chez Bronzino, insérer un texte savant dans un tableau était presque une manie. Lucrezia Panciatichi a la main droite posée sur le livre d'heures de la Vierge. L'ouvrage est ouvert, et plusieurs lignes en sont bien lisibles. Maria Salviati, mère du duc, a la main gauche placée sur le psaume LXVI/LXVII. Le *Portrait de jeune fille avec un petit livre de prières* dépeint une aristocrate, l'index gauche sur la tranche d'un livre fermé et tenu par un ruban noué. La poétesse Laura Battiferri est peinte tenant de ses deux mains un livre sur lequel on peut facilement déchiffrer les sonnets de Pétrarque. Dans le *Portrait de Lorenzo Lenzi*, Bronzino a soigneusement calligraphié un sonnet de Benedetto Varchi dédié à Lenzi. Le

Portrait de jeune homme au livre montre Ugolino Martelli, le doigt pointé sur le chant IX de l'*Iliade*. Bronzino a peint Dante tenant de sa main gauche un livre ouvert sur un passage du *Paradis*. Les vers 1 à 48 du chant XXV y sont d'une lisibilité parfaite.

Je relis le texte choisi par Bronzino pour le tableau d'Anne-Catherine. Son choix me paraît naturel. Dans la Florence de la Renaissance, la référence à Moïse était fréquente. Ses qualités de chef faisaient de lui un modèle politique. La chapelle peinte par Bronzino au Palazzo Vecchio pour Eléonore de Tolède, l'épouse de Cosme, a pour thème principal les épisodes de la vie de Moïse.

Tout concorde. Les mains. Le goût du texte peint. Le thème. La culture. Le tableau d'Anne-Catherine n'est ni une croûte, ni un simple souvenir de famille. C'est un chef-d'œuvre de la Renaissance, peint par Agnolo Bronzino, portraitiste à la cour des Médicis.

Je quitte ma chaise, me déshabille et vais me coucher, conscient d'avoir fait une découverte d'un intérêt exceptionnel. Etendu dans l'obscurité, je laisse filer mon imagination. Je raconte mes exploits à Anne-Catherine : “Au fond, c'était assez simple, il m'a suffi de..." Elle est émerveillée. Elle devient ma maîtresse.

J'écarte la fente de mon pyjama et cherche à obtenir une érection. Je pense à Anne-Catherine. A sa peau. A celle de ses jambes. De ses cuisses. De son ventre. J'imagine son corps nu agrippé au mien. Je n'en retire aucun effet. Je veux croire que mon absence d'envie est due à la fatigue. C'est un pur mensonge et je le sais. Mes érections sont toujours plus espacées. Elles sont aussi plus faibles. Plus éphémères. Ce ne sont plus vraiment des érections.

Je veux penser à autre chose. Qu'est-ce qui m'irritait tant lorsque j'étais dans le salon d'Anne-Catherine ? C'était un énervement enfoui. Un raisonnement qui se brisait avant qu'il n'aboutisse. Lequel ? Soudain je comprends : Machiavel ! Oui, Machiavel ! Pourquoi ? Je ne sais pas. Je sais ! A propos des riches ! Dans le salon d'Anne-Catherine, je pensais aux riches : ils créent la jalousie et suscitent les troubles, disait Machiavel, il faut les appauvrir. C'est dans *Le prince* ou dans *L'art de la guerre*, je ne sais plus. Le nom que je cherchais, c'était Machiavel !

J'espère enfin attraper le sommeil. Impossible. Mon malaise se transforme en fébrilité. Machiavel. C'est ça et ce n'est pas ça. Les riches, oui. Mais il y avait autre chose. Je me lève et vais à la recherche du *Prince*. J'en ai trois ou quatre versions : en italien, en langue toscane d'origine, en traduction française, en anglais. Je parcours fiévreusement les rayonnages de ma bibliothèque. Elle est rangée comme l'as de pique, et je ne trouve rien. Au deuxième tour, je tombe sur l'exemplaire en italien. Il est griffonné presque à chaque ligne. En un rien de temps je retrouve ce que je cherchais. Le texte peint sur le tableau d'Anne-Catherine est tiré du chapitre VI du *Prince*. Je l'ai sous les yeux, en italien moderne bien lisse.

C'est évident. *Le prince* a été publié en 1513. Jusqu'à sa mise à l'index, survenue vingt ans plus tard, il a circulé dans les cercles érudits de Florence. Bronzino et ses amis partageaient sans doute l'agacement de Machiavel face aux complaisances de l'Eglise romaine. Le choix du texte me frappe par sa pertinence : c'était un visa pour la gloire ! Un feu vert donné à Cosme Ier pour conquérir Pise, puis Rome, puis toute la péninsule ! Moïse était le modèle dont Cosme devait s'inspirer pour mener Florence et toute l'Italie à la Terre promise, celle de la prospérité et de la paix sous domination florentine. La *pax fiorentina.*

Je sais de qui est le tableau et de qui est le texte. Son choix s'explique. Je retourne me coucher, apaisé.

Rien à faire. Je suis à nouveau fébrile. Il y a, dans le texte en italien d'aujourd'hui, une liberté d'adaptation qui me dérange. Elle est insaisissable. Je me relève et retourne à la bibliothèque, passe trois fois devant tous les rayons, et tombe, enfin, sur l'édition du *Prince* en langue originale. Et voilà ! Ça cloche bel et bien. Le texte peint disait : *"Sanza quella occasione la virtù dello animo loro* sarebbe rimasta nascosta*."* Le texte original diffère légèrement : *"Sanza quella occasione le virtù dello animo loro* si sarebbe spenta*"*, "Les vertus seraient restées cachées", disait le tableau. "Les vertus se seraient éteintes", dit l'original du texte de Machiavel.

Erreur de transcription ? Impossible. Tous les textes peints par Bronzino sont d'une fidélité absolue à l'original. Transgression gratuite ? Pourquoi ? Dans quel but ?

Quelque chose m'échappe.

HUIT

LE LENDEMAIN matin, je téléphonai à Anne-Catherine et lui annonçai que j'avais abouti à quelques déductions intéressantes. Elle me proposa de passer chez elle en fin d'après-midi.

Pendant que je lui présentais mes conclusions, j'étais taraudé par un sentiment désagréable, celui que l'on ressent lorsqu'un habit tombe mal et que l'on a sans cesse envie de rouler une épaule ou de tendre le cou. J'étais tiraillé entre désir de séduire et envie de blesser. Anne-Catherine me plaisait, m'attirait. Mais ses airs de femme du monde qui veut faire face à toute situation avec grand style m'étaient insupportables. Sans doute considérait-elle cette attitude comme un devoir et s'y adonnait-elle avec la même application lasse qu'elle mettait à faire le bien. Sa façon d'être à la fois condescendante et charitable m'irritait. Pourtant, cette double ambition était si grotesque qu'Anne-Catherine en devenait presque attachante.

A ce malaise s'en ajoutait un autre. Je n'avais jamais eu de liaison avec une femme issue des grandes familles. Plusieurs d'entre elles avaient fréquenté mes cours, mais aucune ne s'était compromise au tête-à-tête pendant mes heures de réception. Se connaissaient-elles toutes ? Se surveillaient-elles ? Je ne sais pas. Avaient-elles flairé – même découvert – le fils d'immigrés italiens que j'étais ? Probablement. Mes parents avaient servi comme chauffeur et femme de chambre chez l'un des leurs. Ces dames étaient toutes parentes. A leurs liens de sang s'en ajoutait un autre, tout aussi fort. Les grandes familles étaient associées entre elles au sein des principales banques privées que comptait la ville. Ces associations n'étaient pas le seul fait de la propriété. Elles se fondaient sur un partage de valeurs fortes. Le goût du travail, la retenue, l'attachement à servir en étaient. L'exubérance et le goût de l'émotion n'en faisaient pas partie. Les familles étaient ainsi liées entre elles à la fois par le sang, l'argent et les valeurs morales. Cela faisait d'elles un groupe d'une extraordinaire compacité, conscient de son caractère unique, et peu enclin à s'ouvrir.

Les familles étaient pourtant généreuses. Toutes ou presque faisaient preuve de charité à l'égard des pauvres ou des étrangers. Les associations caritatives et humanitaires étaient nombreuses à Genève, plus que partout ailleurs. Mais le partage n'était pratiqué qu'en externe. On se déplaçait. On ne recevait pas. A vouloir accueillir ceux qui, par une tradition venue d'ailleurs, se seraient comportés de façon exubérante, le groupe aurait perdu sa spécificité et, pour finir, son rang.

J'avais toujours pressenti qu'il m'aurait été difficile d'avoir un geste tendre à l'égard d'une parente des Rey-Castella, le couple que mes parents avaient longuement servi. Même s'il ne s'était agi que de la cousine d'une cousine, c'eût été l'une des leurs, qui entre deux étreintes m'aurait tôt ou tard confié les soucis que lui causait son personnel de maison, pour ensuite s'excuser et m'assurer qu'elle n'avait pas voulu me blesser.

— Ainsi ?

J'étais rappelé à l'ordre.

— Comme vous le voyez, tout se tient. Le tableau est très probablement un Bronzino. Le texte est de Machiavel, un extrait du *Prince*. Son choix s'explique. Reste la petite divergence dans le texte... Ce détail me chiffonne...

— En conclusion...

La question n'était pas posée : On se dépêche, mon bon monsieur. A ses yeux, il s'agissait sans doute du déroulement naturel des choses : on charge quelqu'un d'une tâche – changer un lavabo, tondre le gazon, effectuer une recherche sur un tableau de la Renaissance – et l'on attend que le résultat soit livré. Rien de plus naturel...

— Vu l'attribution du tableau, et en dépit du fait que la partie figurative ne représente qu'une modeste fraction de la surface, je pense que vous pouvez ajouter un zéro à mon estimation d'avant-hier.

Avais-je mal prononcé ? dit "zéro" au lieu de "un zéro" ?

— Je vous comprends mal. Ajouter zéro, c'est ne rien changer, enfin je crois du moins, c'est ce qu'on m'a toujours dit.

Elle cachait, ou plutôt : elle ne voulait pas cacher un sourire qui n'était rien d'autre que l'expression d'une joie idiote. Je l'imaginai dans ce monde dont elle était la pièce à conviction : Alors j'ai dit à ce bon professeur, mais enfin, cher monsieur ! si vous ajoutez zéro, c'est que vous n'ajoutez rien !

— Ai-je l'air si sot, madame ?

Elle avait dû faire une école d'assistantes sociales, puis prendre des milliers de petits-déjeuners à écouter son mari commenter les pages financières du *Journal de Genève*, en retenir des phrases toutes faites, puis les caser avec aplomb, sans craindre le regard de tous ceux qui n'osaient rien dire devant tant d'inculture, sachant qui elle était.

— Vous dites ?

— J'ai dit, madame, que l'on pouvait ajouter un zéro, pas zéro, un zéro. En d'autres termes, multiplier l'estimation par dix. Elle passe d'une fourchette de cinquante à cent mille euros, à une autre fourchette, qui va de cinq cent mille à un million d'euros. Il me semble que même pour une personne fortunée, il s'agit là d'une différence significative. Si vous le souhaitez, les experts de Harper's pourront vous en dire davantage.

— L'offre et la demande, je crois.

— Ben voyons.

Elle se leva brusquement, fit : Pardonnez-moi un instant, et quitta la bibliothèque.

Les choses s'arrêteraient là. Il me restait à faire quelques clichés du tableau, mon rapport à Harper's, et ma facture d'honoraires. C'était parfait.

Elle revint cinq minutes plus tard, les yeux rouges, serrant un mouchoir dont un coin s'échappait de son poing fermé. Elle s'assit, le regard cloué au sol. Elle semblait fissurée tout entière.

Les yeux dans le vague, elle se moucha, puis dit :

— Je l'ai mérité.

— Je ne voulais pas vous rudoyer.

— Je sais bien qui je suis.

Elle resta immobile.

— Je vous trouve ravissante.

Elle me dévisagea, l'air dépitée.

— Ne soyez pas ridicule.

— Je voulais être aimable.

— Aimable !

— Je suis désolé, vraiment. Je fais quelques clichés et je vous laisse.

Elle ne bougea pas de son canapé.

Je m'approchai du tableau, repérai les fragments que je m'apprêtais à photographier de près, puis décidai de ne pas me presser. Le tableau m'échappait. Je devais m'en imprégner. Le respirer. Déchiffrer la tension qui s'en dégageait, ou plutôt : la déconstruire, en comprendre les éléments constituants. Si Bronzino n'avait que souhaité peindre un texte, cela n'aurait pas justifié de sa part autant d'infinie attention. Il y avait autre chose. La phrase de Virgile, le mot changé, cette bague verte, ornée d'un T grec... Bronzino voulait à la fois cacher et révéler. Quoi ? Que cache-t-on, sinon une douleur ? Cette planche de bois recélait une blessure. D'un coup, j'en étais certain.

Je remontai l'appareil à hauteur des yeux et pris quatre clichés du tableau entièrement dans le cadre. Je m'agenouillai pour effectuer la mise au point sur le texte que je voulais prendre en gros plan. J'en fis quatre clichés. Deux autres pour la phrase de Virgile. Il me restait à photographier en gros plan la main qui tenait la plume d'oie. Elle était située dans la partie inférieure droite du tableau et, pour éviter une distorsion dans la prise de vue, j'aurais dû me mettre à plat ventre. Il n'était pas question que je rampe devant Anne-Catherine. Je décidai de régler mon appareil en visant le coin supérieur droit après avoir cadré large, puis de le baisser et de presser l'obturateur sans avoir à viser. Au pire, cela nécessiterait un recadrage sur l'ordinateur.

Soudain le soleil de l'après-midi inonda la bibliothèque et créa sur le bois peint un reflet qui m'obligeait à déplacer le tableau.

— Vous permettez ?

Alors que je saisissais la pièce de bois par ses bords verticaux, à environ mi-hauteur, j'éprouvai une sensation déconcertante. Mes doigts ne parvenaient pas au dos du tableau. Mes deux pouces le tenaient bel et bien sur son côté peint, mais les quatre autres doigts de chaque main butaient sur un obstacle inattendu. D'abord la petite protubérance me surprit, puis très vite elle m'angoissa. Décontenancé par l'émotion, je reposai immédiatement le tableau.

— Quelque chose ne va pas ?

Je ne répondis rien, fis pivoter le tableau et le replaçai contre la bibliothèque, cette fois-ci exposé de dos. De bas en haut, deux fines pièces de bois étaient fixées à un demi-centimètre de ses bords verticaux. Elles ressemblaient à deux longues règles d'environ quatre-vingt-dix centimètres de long (la hauteur du tableau) et trois centimètres de haut, prolongées d'un retour à angle droit d'environ deux centimètres. Leur section faisait un L, la verticale du L étant perpendiculaire au tableau, comme piquée sur lui à son point le plus haut. L'horizontale, qui venait en retour, lui était parallèle. La barre de gauche avait son retour orienté à droite, alors que la barre de droite avait son retour orienté à gauche.

— Ah ! C'est ce qui vous trouble ! Mon grand-père disait que les deux barres étaient là pour donner de la rigidité à la pièce de bois.

Je dus m'asseoir. Ce que j'avais sous les yeux était pour moi l'équivalent d'un tremblement de terre. Si la fonction des deux barres avait été celle imaginée par le grand-père, elles auraient été placées à l'horizontale, selon l'usage. Fixées et profilées comme elles l'étaient, elles ne pouvaient avoir qu'un seul propos : fonctionner comme glissières. En d'autres termes, le tableau n'était pas seulement un tableau. C'était un objet rarissime. Un couvercle.

Dans la Florence secrète et codée du XVIe siècle, certains tableaux précieux peints sur bois étaient ornés d'un couvercle, auquel ils étaient fixés par un système de charnières ou de glissières. Le propos des couvercles était d'ajouter un commentaire allégorique à l'œuvre qu'ils recouvraient, et, selon les circonstances, de la cacher ou de la révéler. C'étaient presque toujours des œuvres d'art.

Des couvercles, il n'y en a presque plus. Celui-ci était l'œuvre d'un peintre de très grand talent. Il avait forcément été conçu pour recouvrir un tableau de qualité au moins égale… Sur le plan historique, l'intérêt de cette pièce était immense. Dans l'un des plus prestigieux musées du monde, dans une collection exceptionnelle, un portrait du XVIe siècle florentin était peut-être en attente de ce couvercle. Sa valeur pouvait atteindre des niveaux prodigieux.

Anne-Catherine me regardait sans comprendre. Les larmes avaient brouillé son maquillage.

— Je fais quelques photos de la main. Je ne veux pas tarder, tant qu'il y a une bonne lumière. Après il faudra que je vous informe de la signification des deux barres de bois.

— Vous ne vous moquerez pas de moi ?

— Pourquoi le ferais-je ?

Pris par la tension de la découverte, j'avais parlé sans conviction. Elle esquissa un sourire.

Je fis quatre clichés du tableau vu de dos, puis quatre autres des glissières. Je retournai ensuite le tableau pour le photographier de face, mais placé à l'envers. Je pus ainsi bien cadrer la main, qui se trouvait maintenant dans le coin supérieur gauche, les doigts orientés vers le bas. Je pris quatre clichés de la main, et m'apprêtais à informer Anne-Catherine.

— Je voudrais...

— Pardonnez-moi. J'ai besoin de me reposer. Et puis... je ne dois pas être belle à voir. Vous m'expliquerez une autre fois...

— Demain ?

Elle détourna le regard. Je sautai dans le vide :

— A dîner ?

Elle répondit dans un souffle :

— Si vous voulez. Mais pas trop tôt.

— Huit heures ? A la Favola ? C'est rue Calvin, vers le Perron...

— Je sais.

Elle me raccompagna. On se serra la main sans se regarder.

Arrivé chez moi, je m'installai à ma table de travail. Je voulus faire une note de synthèse regroupant mes observations de la veille au sujet du texte peint, et celles de l'après-midi, relatives au tableau et à sa qualité de couvercle. Je n'arrivai pas à écrire une seule ligne. Mes pensées glissaient toutes vers Anne-Catherine. Chaque réflexion se transformait en dialogue. Je me voyais lui expliquant le fonctionnement des glissières, la phrase de Virgile, la bague gravée d'un T. Je faisais l'intéressant. Puis la conversation déviait. Elle devenait tendre. Je passais de la parole au geste. Anne-Catherine donnait suite à mes avances. Nous basculions dans l'intimité.

Après un quart d'heure, j'allai m'asperger le visage et retournai à ma table de travail. J'essayai d'organiser mes pensées. Il se pouvait que le couvercle fût orphelin, que le portrait qu'il recouvrait ait disparu... Dans un tel cas, il conviendrait de valoriser sa découverte autrement. Comment ? Je n'arrivais pas à tenir la moindre ligne de réflexion. Pour tout dire, je ne savais plus où j'en étais. J'eus soudain l'envie très forte de voir Alain. De le toucher. De le serrer contre moi. De lui parler de mon père. De lui raconter les circonstances de sa mort.

Je téléphonai à son domicile. Une voix de femme me répondit qu'il était encore à l'hôpital. Elle ajouta :

— C'est de la part ?

— Son père.

Je n'osai pas lui demander le numéro direct d'Alain. J'appelai l'hôpital. La standardiste m'indiqua le service auquel il était rattaché. C'était la chirurgie thoracique.

Il était surpris de m'entendre. Nous ne nous voyions plus qu'en coup de vent. Le déjeuner serait pour demain.

Entendre la voix d'Alain m'avait apaisé. Je m'étendis à nouveau et m'assoupis. Je restai endormi peu de temps, quinze ou vingt minutes, car quand je me réveillai, il était sept heures moins le quart. Je sortis très nerveux de mon sommeil. J'avais fait un rêve. Il était encore là, présent, presque palpable, j'en voyais les contours. Mais il m'échappait.

J'essayai de retrouver mes esprits. Peu importait le sujet, pourvu qu'il m'amenât un peu de calme. Je pensai à mon fils. Cela raviva le souvenir douloureux de la mort de mon père, dont je m'étais promis de lui parler. Je m'obligeai à me concentrer sur le tableau. Les réponses étaient à chercher à Florence. Si quelqu'un pouvait m'éclairer au sujet d'un couvercle de Bronzino, c'était Bacigalupi, le curateur du département Renaissance au musée des Offices. Je tombai sur son répondeur et lui laissai un message. Cela m'aida à retrouver un peu de sérénité. Mais très vite mes pensées filèrent à nouveau vers Anne-Catherine. Elles étaient d'un coup plus audacieuses. J'imaginai les détails de son corps. Seins. Aréoles. Vulve. Cuisses. Dérisoire exercice. J'étais ridicule. Ce serait du travail bâclé, monsieur le professeur !

J'essayai de me défendre : un homme de quarante ans saurait-il être aussi délicat que je peux l'être ? Sensible ? A l'écoute ? Te fatigue pas, monsieur le professeur, ils écoutent avec leur verge, les hommes de quarante ans. Une verge bien droite, rien de tel pour bien écouter une femme.

Le lendemain soir, j'arrivai à la Favola avec un quart d'heure d'avance. Je dus grimper au premier, où l'on m'installa à une table très étroite. Je m'en réjouis, me disant que cela favoriserait les confidences.

La petite table était dressée à l'italienne, avec sachet de *grissini*, brisures de fromage de Parme et petite fiole d'huile d'olive. Je ne résistai pas, repérai une grosse brisure, et la happai d'un mouvement rapide. Je me calai ensuite sur ma chaise et, d'une pression de la langue contre le palais, j'émiettai le fromage pour bien en répartir toute la saveur. A cet instant précis le souvenir du rêve que j'avais fait la veille me revint d'un coup, en grande clarté.

Mon père et moi étions assis dans un wagon de chemin de fer. Nous voyagions à petite allure. Il était face à moi. Sanglé dans son smoking noir, on aurait dit un banquier privé. Buste en avant, mains jointes, il me souriait avec une douceur infinie. Son regard quitta mon visage et se posa sur mes mains, qui retenaient une couverture, puis sur mes bottines brun foncé. Elles étaient rehaussées de guêtres, de vraies bottines de petit prince.

— Raconte, Guido, raconte, me dit mon père. Tu racontes si bien !

Son regard émerveillé amplifiait le plaisir que j'avais à lui raconter un match de football. Je ne voulais rien oublier : la faute de Vonlanthen dans les seize mètres, le penalty sifflé par l'arbitre – pleinement justifié –, Studer qui plongea du mauvais côté, les exclamations du journaliste à la radio…

— Quel match ! fit mon père, les yeux brillants d'admiration. Il ajusta ma couverture aux épaules, et, d'un air complice, me chuchota : "Dagheloli."

Puis il me caressa les cheveux. De tous ses gestes, c'était celui que j'attendais le plus. Il me procurait toujours une joie éclatante, profonde, en même temps qu'il me plongeait dans un délicieux désarroi : je ne savais jamais si je devais garder cette joie en moi comme une chose précieuse, ou la crier, pour m'en libérer.

Soudain mon père éloigna sa main de mes cheveux, mit sa redingote de travail, couleur gris fer, et quitta le compartiment sans dire un mot.

L'arrivée d'Anne-Catherine me sortit de mon rêve. Elle émergea du petit escalier à l'heure très précise, et me gratifia d'un “bonsoir” chuchoté.

Elle parcourut à peine la carte.

— Vous vouliez me parler ?

Je lui fis un compte rendu succinct, parlai du couvercle, des glissières, essayai de n'être ni savant ni fanfaron, et surtout de ne lui donner aucun faux espoir. J'insistai sur l'intérêt qu'il y avait à retrouver le tableau pour lequel le couvercle avait été conçu, sans lui cacher qu'une telle recherche serait hasardeuse. Les faits remontaient à cinq siècles, et les sources d'informations étaient pratiquement inexistantes.

— Tout cela est si beau. Vous savez, il y a une douzaine d'années, quand Charlotte a commencé l'école…

— Charlotte ?

— Ma fille unique. J'avais plusieurs amies qui allaient suivre vos cours. J'y suis allée très exactement quatre fois.

Je ne me souvenais pas d'elle.

— Vous aviez beaucoup de monde… beaucoup d'admiratrices…

— C'est vrai. Des étudiantes et des auditrices… C'était le sujet du cours qu'elles admiraient.

Elle baissa les yeux.

— Vous étiez un professeur très élégant. Très séduisant…

— J'étais…

Elle fit mine de dire quelque chose, resta un instant la bouche entrouverte, finalement se ravisa, puis d'un coup, au moment où je lui demandais : "Que fait Charlotte ?", elle commença une phrase, par "Vous…", mais ne poursuivit pas et répondit à ma question :

— Dernière année de collège, en latine.

— Lorsque vous avez choisi mon nom sur la liste que vous avait soumise Harper's, vous saviez ? Vous m'aviez vu ?

— Votre nom était le seul que je connaissais, répondit-elle, puis elle enchaîna : Et vous, vous avez un fils ?

— Oui, un fils. D'ailleurs…

— C'est vrai, j'oubliais. Vous vous ressemblez beaucoup, maintenant que j'y pense, c'est fou.

— Qu'est-ce qui vous attirait dans l'histoire de l'art ?

Le silence à nouveau.

— Je ne sais pas. Un peu tout. L'histoire, peut-être, le sentiment que nous venons de quelque part.

Je souris.

— J'ai dit une bêtise ?

— Mais non, voyons.

Je lui demandai pourquoi elle avait arrêté. Elle eut un instant d'hésitation, puis sourit à son tour, du sourire triste qu'elle avait eu chez elle deux jours plus tôt. Il y eut un nouveau silence.

— J'ai trompé mon mari une fois. Je veux dire... avec un seul homme. C'était l'époque où j'allais à vos cours. Je suis tombée enceinte, le monsieur a quitté Genève, je me suis fait avorter, cela m'a valu une dépression, et voilà. Plus de cours d'histoire de l'art !

— Et le monsieur ?

— D'une banalité... Mon voisin du troisième. Un diplomate italien. Il me regardait comme il n'aurait pas dû le faire, osait un compliment quand il me croisait dans les escaliers... Il n'a pas eu à se battre. Et puis rien n'était solide dans mon mariage. J'avais un mari important qui passait ses journées à faire des choses importantes, en compagnie de gens importants, qui rentrait chez lui retrouver son épouse dont il attendait qu'elle ait elle-même vécu une journée d'épouse importante... Une suite de postures. Rien d'intéressant. Et vous, l'histoire de l'art ?

Mon regard se perdit sur la petite fiole d'huile d'olive posée sur la table. J'avais remarqué une étiquette accolée à son dos, et j'essayai d'en déchiffrer les caractères, qui étaient minuscules.

— Vous souriez à l'huile d'olive ?

Elle avait dit ces mots d'un air surpris, mais sans ironie.

— L'histoire de l'art... Mes parents étaient gens de maison chez les Rey-Castella.

Elle ne broncha pas.

— Ils venaient de Spello, un petit bourg oublié sur la route qui va d'Assise à Foligno. Chaque année, nous y passions les trois premières semaines d'août. Nous habitions chez un frère de ma mère, qui était comptable à la coopérative agricole. Je garde un souvenir très émouvant de ces voyages. Nous les faisions en chemin de fer, mes parents n'avaient pas de voiture, bien sûr. Aux premiers jours d'août, un grand nombre d'émigrés italiens se retrouvaient à la gare de Cornavin. Les trains allaient à Milan, de là certains wagons continuaient jusqu'à Naples, et les autres partaient à l'est, vers Udine. Tous étaient pris d'assaut. Je me souviens que mes parents se rendaient à la gare une éternité avant le départ du train. Nous restions sur le quai, à attendre souvent plus d'une heure, en vain, bien sûr. Ma mère, toujours angoissée, ponctuait l'attente de ses *"Così al meno siamo sicuri"*, même si nous n'étions *sicuri* de rien du tout. En réalité, mes parents se rendaient tôt à la gare de Cornavin par impatience de se retrouver entre émigrés. Lorsque les wagons étaient bondés, c'était déjà l'Italie. Ils étaient chez eux.

— Vous en voulez encore aux gens de l'époque ?

— Que vous dire… On en croisait beaucoup, des regards qui disaient sans se gêner : "Tâche de filer droit, sinon…" Enfin, c'est du passé… Les vacances débutaient par les retrouvailles sur le quai de gare et se terminaient au passage des douaniers, dans le train du retour.

— Que se passait-il de si grave ?

— Chaque été, le frère de ma mère, celui de la coopérative, nous offrait deux gros bidons d'huile d'olive. Mes parents étaient convaincus que l'huile d'olive de Spello était la meilleure d'Ombrie, et, en conséquence, la meilleure du monde. Les raisons en étaient innombrables, je m'en souviens encore. Il y avait les olives, les Muragliolo et les Leccino. Leur mélange permettait d'obtenir l'huile parfaite, la plus douce. Comme l'acidité de chaque type variait selon la saison, vous imaginez les débats savants à propos du dosage… C'était aussi la vitesse de rotation de la roue qui pressait la pulpe, la qualité de la terre de Spello, la douceur des cultivateurs lorsqu'ils gaulaient les oliviers… Je vous parlais des douaniers. Au retour, les formalités de douane se déroulaient dans le train, pendant la traversée du Simplon. Les douaniers suisses montaient à Iselle, effectuaient les contrôles, descendaient à Brigue, prenaient un train qui les ramenait en Italie, et ainsi de suite. Dès que les formalités débutaient, le visage de mes parents se tendait. Ils étaient immigrés, gens de maison, tout leur était sujet à blessure. Ces braves douaniers n'étaient peut-être pas si méchants, mais au moment où ils faisaient coulisser la porte du compartiment où s'entassaient huit immigrés chargés de valises et de paquets, étouffant de chaleur et d'odeurs parce que les fenêtres étaient fermées, à cause du passage dans le tunnel, il flottait dans l'air un petit parfum de racisme baigné de bonhomie qui était à la fois patelin et odieux.

Mes parents devaient s'acquitter d'une taxe douanière sur l'huile. A l'époque, elle se calculait au kilo. Il en résultait chaque fois une discussion blessante sur le poids réel des bidons. Mi-goguenards, mi-sérieux, les douaniers, presque toujours des Suisses allemands, interrogeaient. On entendait des "*Ja*, ça c'est pas cinq kilos, c'est six ou sept, *oder* ?

*Luegemal**." Dans les années cinquante, l'huile d'olive était une denrée exotique. Certains douaniers, peut-être désireux de se montrer cordiaux, lançaient des *"Kome fà a manciare questo ?"* ou conseillaient bravement : "Il faut mancher l'vile saïs, l'vile svisse." C'était chaque année pareil.

Mon imitation de l'accent suisse allemand la fit rire.

— Ils étaient maladroits ?

— Quoi qu'ils disent ou fassent, ils nous rappelaient que là, d'un coup d'un seul, nous n'étions plus chez nous.

— L'huile !

— Vous avez raison, l'huile ! Une fois arrivés en Suisse, les dix litres d'huile devaient durer onze mois. Pour un ménage italien, c'était long... L'huile d'olive, on la trouvait à Genève, chez les petits épiciers italiens de la rue de Carouge ou du boulevard Carl-Vogt, ils y étaient nombreux, avant qu'ils ne se fassent asphyxier par les supermarchés. Mais elle n'était pas de Spello... Mes parents transvasaient l'huile des bidons dans une grande fiole de verre fermée d'un bouchon de liège, comme celle-ci, mais en plus grand. Elle faisait un litre et devait durer le mois. Le plat que

* "Regarde voir" (en dialecte suisse allemand).

préférait mon père, c'était les tagliatelles à l'ail et à l'huile, *aglio ed olio.* Donc je le préférais aussi. C'était le menu du dimanche midi. Mon père, qui reprenait son service en fin de journée, passait en général l'après-midi à jouer aux boules en compagnie des immigrés italiens. Ils se retrouvaient sur la plaine de Plainpalais, où le grand air contribuait à dégager son haleine, au soulagement de ma mère, toujours inquiète de l'effet désastreux que l'ail pourrait valoir à mon père dans l'accomplissement de son travail. Cette nervosité la rendait encore plus réticente à l'idée de me laisser prendre la fiole en main. Or, ce qui me poussait à la demander, plus que le goût que j'avais de l'huile, c'était précisément que ma mère s'y opposait. Il y avait une expression qu'utilisait mon père en ces occasions, et qui me rendait si fier : *"Daghe l'oli"*, disait-il à ma mère, c'est-à-dire, en dialecte d'Ombrie, *dagli l'olio*, donne-lui l'huile, au fiston. Entre mon père et moi, "Dagheloli" était devenu une marque d'affection infinie, un mot d'amour, qui disait : Nous, on est "comme ça", comme quand on joint ses deux index, recroquevillés en un chaînon, et qu'on tire dessus pour montrer combien l'union est solide. Mon père disait : "Dagheloli", et ma mère, rouspéteuse sans trop y croire, répondait : “Ma tou lé gâtes trop, cé pétite, tou té rends compte combien tou lé gâtes ?” Puis elle obtempérait et me donnait la fiole, peut-être avec plaisir, qui sait… Sûrement… Mon père me regardait verser le filet d’huile avec une fierté contagieuse. J’étais si heureux ! Fort, aussi, d’être tant aimé. Rassuré ! J’étais nourri du meilleur qu’ait jamais produit la terre, l’huile d’olive de Spello ! Mon père disait : “Dagheloli”, et cela signifiait : Tu donnes la meilleure huile à ce garçon, parce que ce garçon que tu vois là, ce garçon de dix ou six ou huit ans, c’est mon fils ! Et il est si formidable, si extraordinaire, que la meilleure huile du monde, *appena appena* si elle est assez bonne pour lui.

— C’est beau, Dagheloli… C’est drôle comme mot d’amour… Et l’histoire de l’art ?

— Tout remonte à la mort de mon père. J’avais onze ans lorsqu’il s’est tué. Il allait chercher son patron, il était en retard. Sa voiture a dérapé, elle s’est fracassée contre la rampe du quai, à Cologny. L’accident avait eu lieu un soir d’août. Nous étions à peine rentrés de Spello, et voilà qu’une semaine plus tard, ma mère et moi y retournions en corbillard, serrés sur la banquette avant. Une fois là-bas, il y avait les formalités, puis ma mère n'était pas en état de rentrer, pour finir nous y sommes restés quatre semaines. Mon père a été enterré près de ses parents, au cimetière de San Girolamo, sur le coteau de Spello. Le curé s'appelait *padre* Camillo. C'était un cousin issu de germain du côté de ma mère. J'imagine qu'elle lui avait raconté les circonstances de l'accident et parlé du rapport très tendre qui m'unissait à mon père. Camillo ressemblait plus à un lutteur de foire qu'à un homme d'Eglise. Je le vois encore, le lendemain des funérailles, arriver chez mon oncle au volant d'une Topolino de livraison que lui avait prêtée son frère, qui était le crémier de Spello. C'était en début d'après-midi. La Topolino le contenait à peine. Il s'en extirpa lentement et me lança : "Nous deux on va faire un tour, *vero*, Teresa ?" Je me mets à pleurer, ma mère insiste, pleure elle aussi, je vous passe les détails de la scène, finalement je monte dans la Topolino de livraison, et Camillo m'emmène à Assise. Il passe la demi-heure que dure le trajet à me raconter sa vie. Il voulait sans doute me faire penser à autre chose qu'à la mort de mon père. Il me dit ses soucis de curé, ses colères, me parle de ses paroissiens qui partent à l'étranger, parce qu'à Spello ils n'espèrent rien, m'avoue ses chagrins, comme celui d'avoir dû faire la messe d'enterrement, la veille, alors qu'il aurait voulu être seul dans un coin de l'église, et pleurer, pleurer sur la mort de son cousin si bon. Quand nous arrivons devant l'immense esplanade qui mène à l'église, il arrête la Topolino, se tourne vers moi, me pose une main sur l'épaule, et me dit : "Tu sais pourquoi nous sommes venus à Assise ? Parce que quand je n'en peux plus, et tu le vois, hein, que ça arrive, quand je suis découragé, quand je me dis que je n'ai pas la force, tu sais ce que je fais ? Je viens voir les fresques de Giotto. Je m'arrête devant chacune des vingt-huit fresques, tu entends, devant chacune. Et si je sens que je suis nerveux, je me dis : Au moins deux minutes par fresque. Ça a l'air idiot, n'est-ce pas, de regarder des fresques avec le nez sur la montre ? Eh bien crois-moi, ça marche. Ça m'oblige à me calmer. Je m'assieds sur l'un des bancs de la nef, et peu à peu la bonté de la fresque me pénètre. Je n'ai plus besoin de regarder ma montre. Je me calme. Et le reste du parcours, jusqu'à la vingt-huitième, je le fais avec sérénité. C'est drôle, cette église de saint François. C'est deux églises construites l'une sur l'autre, la prochaine fois on ira voir celle du bas. Elles sont si massives, si dures de toutes leurs pierres, qu'on ne s'attend pas à y trouver tant de douceur." A l'intérieur de la basilique, Camillo s'arrête devant chacune des fresques, accolées l'une à l'autre tout autour de la nef. Ce sont les scènes de la vie de saint François. Il les commente dans l'ordre, à voix basse. Il n'y avait personne dans la nef, il aurait pu parler plus fort, mais il chuchotait, d'une voix éraillée, comme s'il venait de crier pendant des heures. Il connaissait l'histoire de chaque scène dans son détail, en faisait ressortir les enjeux, attirait mon attention sur tel ou tel personnage, son expression, ses sentiments, et rendait les épisodes extraordinairement vivants. Il m'expliquait le choix des couleurs, les règles de composition, les perspectives, tout ce pourquoi ces fresques étaient si modernes, et même si audacieuses : "Il lui a fallu se battre, à Giotto, dit Camillo, et tu sais, se battre contre l'Eglise..." Il s'était mis à rire à voix basse. Devant la cinquième fresque, celle de la renonciation aux biens matériels, il avait pointé du doigt les deux petits enfants que Giotto a peints au milieu d'un groupe d'adultes. "Regarde bien le garçonnet de gauche. Il parle, il a le regard déterminé, il appuie son propos par un geste de la main. C'est toi. D'accord ?" Il chercha mes yeux du regard et répéta : "D'accord ?" J'aurais voulu l'embrasser. A la huitième fresque, celle où saint François monte au ciel sur son chariot de feu, il me dit : "Ton papa est monté au ciel comme ça." Devant chaque fresque, il soulignait la beauté de l'histoire, l'affection qu'avait Giotto pour les hommes, qu'ils soient bienheureux ou pécheurs, l'amour qui l'habitait, l'humilité qui le portait à prêcher même aux oiseaux, tu te rends compte, me disait Camillo, un saint si grand, si immense, eh bien même aux oiseaux, il prêchait, tant c'était un homme humble. A la fin, je lui avais dit : *"Fanno come un fumetto."* Elles font comme une bande dessinée. Ça l'avait fait rire, puis son rire s'était transformé en toux, et plus il toussait, plus il riait, à la fin, il en avait les larmes aux yeux. Cela avait un côté cocasse de voir ce curé, bâti comme une armoire à glace, suant dans sa soutane, les cheveux bouclés par la transpiration, les doigts gros comme des saucisses, parler avec une telle candeur du bonheur que lui procurait la peinture de Giotto. Ce n'était jamais un cours de catéchisme. Camillo me parlait d'art et d'amour, celui qu'avait le saint pour tous les hommes, et celui qu'il voulait ressentir, lui, Camillo, de toutes ses forces, mais qui n'était jamais suffisant. *"E perchè nò ?"* lui avais-je demandé. Il m'avait répondu en souriant : *"Perchè il santo è lui, non io*.*"* A la fin de la visite, nous étions encore dans la nef, Camillo s'arrêta et me dit comme la chose la plus grave : "Tu sais, Guido, ce que j'éprouve quand je viens visiter les fresques, personne ne peut me l'arracher." Il utilisa l'expression : *"È tutto mio."* A moi tout seul.

Cette année-là, avec Camillo, nous sommes allés au moins trois fois à Assise. L'année d'après, il m'a fait découvrir Pérouse. L'année suivante nous avons pris le train pour Florence, où nous sommes restés deux jours chez un curé de ses amis, *padre* Andrea. Les deux compères m'ont fait visiter les Offices, le Palazzo Vecchio, le Pitti... Je me souviens de leurs mines lorsque, dans la chapelle d'Eléonore de Tolède, ils pointaient du menton l'une des scènes de la vie de Moïse, *La récolte de la manne*. Deux éphèbes y roucoulent, les yeux dans les yeux. La fresque est splendide, mais bon, c'est assez osé, et pour un lieu de prière, c'est presque cocasse. Mais cela avait l'air de beaucoup les

* "Parce que le saint, c'est lui, pas moi."

réjouir… Je me suis souvent demandé, par la suite, si Camillo et son ami Andrea n'entretenaient pas une relation homosexuelle. Ils étaient si tendres l'un avec l'autre, si attentionnés. L'hiver suivant, ou celui d'après, Andrea est mort subitement. Je n'en ai jamais su la cause. La même année, Camillo a eu un accident cardiaque. Son état de santé lui interdisait les déplacements par grosse chaleur. A partir de cet été, je devais avoir quinze ou seize ans, j'ai commencé à faire les petits voyages en solitaire. Le car du matin pour Assise partait de la piazza Matteotti à huit heures et quart, je m'en souviens encore. Pour aller d'Assise à Pérouse ou Florence, je faisais le voyage en chemin de fer. Le train partait de Santa Maria degli Angeli, il fallait changer d'autocar à Assise. Camillo me faisait mes plans de visite. Les quelques lires du voyage, c'était à lui que je les devais. "Si nous étions deux, ça me coûterait plus que le double", disait Camillo. Après mon père, c'est l'homme que j'ai le plus aimé, mon camionneur-curé…

— C'était donc pour ça, l'histoire de l'art…

— C'est à Camillo que je dois d'avoir fait ce choix. L'histoire de l'art, c'est un paradis d'émotions protégées. On y vit des bonheurs maîtrisés. Du moins on en a l'impression : Rubens ou Raphaël n'ont jamais laissé tomber personne.

— Vous avez bien choisi votre métier.

— J'ai fait en sorte de ne pas être amputé une deuxième fois d'un grand bonheur. Ai-je été heureux ? Je ne sais pas. L'art m'a apporté la consolation. Ce n'est pas la vraie vie.

— C'est quoi la vraie vie ?

— Je ne sais pas. Autre chose. Pas les beaux tableaux. La douleur, sans doute. Inévitable. Elle vous attrape d'un coup. Puis un jour arrive la consolation, imprévisible, elle aussi. On retrouve le goût de vivre. Et voilà qu'à nouveau vient la douleur. On souffre, on guérit, on oublie, on replonge dans la vie, on souffre à nouveau…

Après un silence :

— Et la plus grande douleur, c'était… ?

— La mort de mon père. Elle avait eu lieu dans des circonstances particulières. J'étais impliqué.

Elle hésite, cherche ses mots, finalement ose :

— Que s'est-il passé ?

— Une histoire difficile, que ma mère ne m'a pas pardonnée, et je crois qu'à mon tour, je ne lui ai pas pardonné sa sévérité. Je vous la raconterai une autre fois. Je ne veux pas gâcher cette soirée…

— Et après Spello ?

— Nous sommes rentrés à Genève. Ma mère a continué de servir chez les Rey-Castella. Quelques années plus tard, sa patronne est morte. Son mari a vendu la maison et s'est installé dans les Grisons, à Sils-Maria. J'avais dix-huit ans. Ma mère est alors retournée à Spello. Je suis allé habiter chez les Novelli, des amis de mes parents qui avaient repris une épicerie boulevard Carl-Vogt. C'était mon année de baccalauréat. Après je me suis toujours débrouillé, j'ai travaillé de-ci de-là pendant mes études, en classe ça marchait très bien, c'était assez facile. Voilà.

— Vous êtes heureux ?

— Je ne sais pas. Ma vie de fils ne s'est pas arrêtée à la mort de mon père. Je ne l'ai pas abandonné. J'ai gardé en lui un endroit où aller.

— Vous avez beaucoup de chance.

— La chance d'avoir été aimé et de ne plus l'être ?

— La chance de l'avoir été une fois pour de bon.

— Peut-être… Vous savez, après, c'est plus difficile…

Elle se leva :

— J'ai eu un immense plaisir à ce dîner.

— Après-demain, j'aurai sans doute d'autres éléments. Je vous les communique ?

— Oui. Toujours en fin de journée, c'est plus simple.

Elle devait aller au chalet chercher sa fille. Je lui précisai que mes photos étaient numériques, qu'il fallait un ordinateur pour les voir. Elle n'en avait pas. Le mien n'était pas un portable.

— Charlotte n'en a pas ?

— Laissons Charlotte. Je viens chez vous. Si cela ne vous gêne pas.

Elle avait dit cela vite, sans me regarder.

— J'habite au 12, rue de Candolle.

— Je sais.

— Vers dix-huit heures ?

Elle ne répondit pas. Nous sortîmes du restaurant sans échanger un mot. Je lui tendis la main.

— A bientôt.

— A bientôt.

Elle se hissa sur la pointe des pieds et m'embrassa très légèrement sur la commissure des lèvres.

SEPT

TÔT LE LENDEMAIN matin. Le ventre encore creux, je m'installe devant mon écran d'ordinateur. Je veux revoir les photos. Les écouter. Leur donner le temps de se raconter.

Sur la première, le tableau apparaît en intégralité. Il est majestueux. Je ne me lasse pas d'admirer la main qui tient la plume d'oie posée sur le *o* final du texte. Son exécution est admirable. Pourtant je me sens mal à l'aise. Tous les tableaux ont un propos, une intention : C'est ceci que j'essaie de partager avec vous, dit le peintre au spectateur, c'est là qu'il faut regarder. Ici rien de cela. Le tableau nous tourne le dos. Il est hermétique, brusque même. Il nous dit : Vous avez lu le texte ? Eh bien, passez votre chemin, il n'y a rien d'autre à voir.

Où Bronzino voulait-il en venir ? Sur l'écran, l'image, de dimension réduite, souligne la rigueur du tableau dans sa construction. Les deux cadres extérieurs semblent avoir été peints dans le seul propos d'enclaver le rectangle blanc, là où est inscrit le texte de Machiavel. Ils l'enserrent, forcent le regard du spectateur à s'y arrêter. Le cadre intermédiaire, de couleur rouge, et qui fait trois ou quatre centimètres de large sur l'original, n'a plus qu'un centimètre d'épaisseur sur l'écran, ce qui rend la phrase de Virgile à peine lisible, et en affaiblit l'effet. Le cadre extérieur brun perd lui aussi de son impact. Je pose ma règle sur l'écran en diagonale du tableau, dans chacun des deux sens, pour voir si son centre géométrique correspond à un mot particulier. Les deux diagonales se croisent sur le M du mot "Moïse".

Les trois autres clichés du tableau photographié en plein ne m'apportent aucun élément nouveau.

Je scrute les photos du texte, à l'affût de tout ce qui pourrait expliquer mes interrogations autour du mot "caché". Bronzino a-t-il changé d'avis au moment où il recopiait les mots de Machiavel ? A-t-il copié juste, puis corrigé ? Ou alors copié faux, essayé de corriger, puis laissé le texte en l'état ? Par commodité ? Bronzino aurait-il été, pour une fois, paresseux ? Cela me paraît impensable. J'agrandis *“sarebbe rimasta nascosta”* sur l’écran, à la recherche de la plus petite trace de repentir qui viendrait de (ou irait vers) *“sarebbe spenta”*. Je ne décèle pas le moindre flottement.

Je fais défiler les photos de la citation *Heureux celui dont l’esprit pénètre les secrets.* A quoi riment ces mots ? Est-ce pour cacher le tableau aux intrus ? Le dévoiler aux initiés ? Mais dévoiler quoi ? Je n’ai pas le début d’une réponse.

Je m’arrête longuement sur le premier des quatre clichés de la main qui tient la plume d’oie. L’image dégage une noblesse et une grâce rares. Mais qu’en dire de plus ? Je m’apprête à cliquer sur “Quitter” lorsque mon attention est attirée par un détail. J’avais photographié le tableau à l’envers, si bien qu’à l’écran la main apparaît maintenant les doigts orientés vers le bas. Sur la petite bague verte, j’avais lu un T écrit à la grecque, lorsque j’étais chez Anne-Catherine. La barre horizontale du T était bien droite, alors que sa partie verticale avait l’arrondi d’un col-de-cygne. L’image que j’ai sous les yeux, doigts orientés vers le bas, me montre que la pierre verte est gravée du chiffre 2. Je fais pivoter l’image à cent quatre-vingts degrés sur l’écran et retrouve le T grec. Je reviens à l’image précédente et le chiffre 2 réapparaît. J'ai une palpitation. Aurais-je résolu l'énigme du T ? Et si le T n'était pas un T ? Mais un 2 ? Dans son goût du mystère, Bronzino aurait-il peint le chiffre à l'envers, pour faire comprendre – à qui le mérite ! – que le tableau a le caractère d'un double ? qu'il va de pair avec celui qu'il a pour mission de protéger ? Je retiens cette conclusion. Oui, ils sont deux. Le couvercle, c'est le numéro deux !

Je vais à la cuisine, en reviens avec mon premier café du matin, et m'accorde quelques longues minutes pour le boire. Je m'apprête à noter mes réflexions lorsque je repense à la divergence du texte de Machiavel. A nouveau mon cœur bondit. Elle aussi pointe vers la même clé ! Le couvercle, c'est ce qui "cache" ! Et le mot qui change est "caché" ! Je suis bête ! Et lent ! La divergence du texte est résolue ! J'aurais pu y penser plus tôt ! Ce tableau est un couvercle, et Bronzino veut que cela se sache ; plus précisément : que cela puisse être su par celui qui en a la perspicacité nécessaire.

Je note mes conclusions. Elles sont au nombre de quatre : le tableau est de Bronzino. Le texte qui en constitue l'essentiel est de Machiavel. Son choix s'explique. Le tableau est un couvercle.

Ces déductions sont indiscutables, concrètes, fondées. Pourtant elles me laissent sur ma faim. Elles décrivent. Elles n'expliquent pas. Il y a autre chose. Mais quoi ?

Je scrute le portrait de Cosme Ier en habit de guerrier. Même main que celle du couvercle. Même passepoil rouge cramoisi qui enserre le poignet. Soit. Mais pourquoi diable Bronzino aurait-il associé un couvercle aussi sobre à un tableau dont le propos était d'illustrer la grandeur du duc ? C'est inexplicable. Et pourtant…

De guerre lasse, je rédige une synthèse de mes observations objectives, puis de mes conclusions, dresse la liste de mes interrogations, joins les vingt-deux clichés au dossier, puis expédie le tout à l'adresse électronique de Bacigalupi.

*

J'étais arrivé au Socrate en avance d'un bon quart d'heure, en espérant que cela m'aurait permis de me fabriquer un peu de sérénité avant de retrouver Alain. Ce fut un mauvais calcul, et ce temps d'attente inutile ne contribua qu'à augmenter mon désarroi.

A peine assis, une scène qui s'était déroulée trente ans plus tôt me revint en mémoire. J'avais passé la soirée avec Isabelle, la mère d'Alain. Nous étions divorcés depuis longtemps, mais nous étions restés amants occasionnels. Lorsque j'étais arrivé vers les onze heures, Alain, qui avait dix ou douze ans, était déjà couché. Isabelle et moi avions presque immédiatement fait l'amour. Plus tard dans la nuit, le grincement de la porte m'avait réveillé. J'avais allumé la lampe de chevet.

Alain était debout, la main sur la poignée :

— Tu es revenu pour toujours ?

— Papa était très fatigué, il s'est reposé, avait dit Isabelle.

— J'ai fait un mauvais rêve. J'ai peur.

— Viens.

Isabelle s'était assise sur le lit, avait ramassé sa chemise de nuit, puis l'avait enfilée, d'abord les bras, puis la tête, puis le torse. Elle était de trois quarts et dévoilait ses seins à Alain. Nu de haut en bas face à lui, j'avais enfilé mon slip et ramassé mes vêtements qui étaient éparpillés sur une chaise. J'étais honteux à la fois d'être nu et de voir ainsi partir comme un voleur. Au moment où je fermais la porte, j'avais capté un geste d'Isabelle. Elle étendait son bras sur l'oreiller. Déjà allongé près de sa mère, Alain me regardait quitter la pièce, et il y avait dans ses yeux un mélange de reproche et de tristesse dont, depuis, je sentais le poids chaque fois qu'il me regardait avec interrogation.

J'eus soudain la vision dérangeante de me voir pousser la porte du Socrate. C'était Alain. Il avait ma démarche hésitante de grand sec mal à l'aise, mon visage : pommettes hautes, nez grand mais fin, bouche mince. Mes yeux aussi, ceux de ma mère, bleu très clair. Mêmes mains, longues et osseuses. En voyant ses cheveux très gris, je me dis qu'à mon âge il les aurait blancs. Pour l'heure ils étaient drus et touffus. Notre ressemblance m'attrista.

Alain était intrigué.

— Tu es sûr que ça va ?

— Je vais très bien. Donne-moi de tes nouvelles. Ton fils ?

— Benoît ? Il a seize ans et demi et il s'intéresse aux femmes.

Il rit. Je le voyais deux fois l'an, Benoît. Comme si c'était un vague petit cousin. Je ne savais rien de Benoît. Voilà qu'il s'intéressait aux femmes. Son père aussi s'intéressait aux femmes. Et son grand-père. Beaucoup de monde sur un même sujet...

— Et toi ? Tu as quelqu'un en ce moment ?

— Une anesthésiste. Béatrice. C'est elle qui t'a répondu hier soir au téléphone.

— Bien ?

— Papa !

Il rit, puis me dévisagea à nouveau :

— Tu voulais qu'on se voie ?

— Tu connais une Anne-Catherine Hugues ?

— Alors, c'était pour ça...

Sa déception me fit chaud au cœur. Je me dis que je devrais lui téléphoner plus souvent.

— En fait, je voulais te parler d'autre chose. Mais avant que j'oublie, Anne-Catherine Hugues ?

Son regard s'aiguisa puis s'éloigna :

— Je me souviens. C'était il y a environ deux mois. Je peux t'en parler, rien de bien méchant, deux petits nodules à un sein, le gauche sauf erreur. Bénins. Mais je me souviens bien de la femme.

Il me regardait, l'air amusé :

— Elle t'intéresse ?

— Trop jeune.

Il sourit.

— Depuis quand ça te gêne ?

— Je ne sais pas. Je crois que je perds la main.

Ma remarque l'embarrassa.

— T'en fais pas. Je joue au vieux pour t'attendrir... Ça va très bien.

Il me regarda attentivement et je retrouvai à cet instant, dans le fond de ses yeux, le même mélange de tristesse et de reproche que j'avais lu trente ans plus tôt. Il eut un instant d'hésitation, se resaisit, et ajouta :

— Je me souviens de la dame. Très jolie. Une poitrine un peu forte, mais superbe. C'est bien ça ?

— Je ne sais pas ! Tu la connais mieux que moi ! Que ferais-je de cette poitrine ?

— Papa !

La serveuse arriva, chargée de deux grandes assiettes. Elle était très jeune, vingt-cinq ou trente ans, brune et ronde, italienne ou espagnole, probablement une immigrée de deuxième génération, à voir son regard effronté. Elle parlait sans accent étranger, disait "saucisse *rô*tie" en mettant l'accent sur le *"rô"*, à la genevoise. Elle nous servit en badigeonnant Alain du regard, et le "bon appétit" qu'elle nous lança n'était adressé qu'à lui.

Alain saisit ses couverts et ses mains immenses trouvèrent un emploi. Elles étaient magnifiques. Je me dis que la serveuse devait les observer du comptoir, rêver qu'elles la parcouraient.

J'observai Alain. Quarante-trois ans. Un regard vif-argent. Des mains de pianiste qui déclenchent les fantasmes des petites serveuses.

— Tu as de la chance.

Il me regarda, l'air de ne pas comprendre.

— Non, je disais, en général, la vie te gâte.

— Bien sûr, oui… Toi aussi, elle te gâte, non, elle t'a gâté ?

Passé composé. Je veux en finir. Rentrer chez moi. Nous nous mîmes à manger vite. Je lui demandai s'il voulait un dessert.

— J'ai un cours…

— Vas-y, vas-y.

Il se leva. J'aurais aimé lui parler longuement. Le serrer contre ma poitrine. Ce serait pour la prochaine fois. Sans faute.

La serveuse revint du comptoir avec l'addition. Un sourire l'illuminait.

— Pardonnez-moi. L'autre monsieur, c'était votre fils ?

— Oui, c'est mon fils.

— C'est fou comme vous vous ressemblez.

— On le dit.

— Vraiment, c'est fou.

Elle reprit l'assiette de l'addition, se pinça les lèvres, et, dans un mouvement de la tête vers l'avant, elle ajouta :

— Qu'est-ce que vous devez être fier.

Je rentrai rue de Candolle, écrasé de fatigue. Anne-Catherine venait à six heures. Je devais me reposer. Je me déshabillai entièrement et me mis au lit.

*

J'étais taraudé par la perspective de sa visite. Impossible de fermer l'œil. Après une demi-heure, je me levai et allai consulter mon courrier.

Tu es peut-être tombé sur quelque chose d'extraordinaire, m'écrivait Bacigalupi. *Viens à Florence avec une réplique des glissières. Elle devra être fidèle au millimètre, même au dixième de millimètre.*

Ce soir je procéderai à un examen à la loupe des arêtes du tableau auquel nous pensons tous les deux. Si l'on détecte des traces d'usure, cela indiquera qu'il y a eu frottement, donc que ce tableau a sans doute eu un couvercle à glissières. Je ferai la vérification en présence de Regispani, le curateur principal. Je t'en dirai plus demain matin.

Si cette hypothèse devait se vérifier, il faudra la compléter par une recherche aux Archives. Giovio et Pierfrancesco Riccio ont entretenu une correspondance, je le sais. Reste à savoir si elle contient une lettre qui se réfère au tableau ou au couvercle.

Cordiali saluti,

ANTONIO.

P.-S. – *Je te déconseille de venir à Florence avec ton original. Si ce que j'espère se vérifie, il sera bloqué à la sortie par I Beni Culturali, le ministère des Beaux-Arts.*

Giovio, l'évêque, était le conseiller de Cosme Ier. C'était lui qui passait commande aux peintres. Le tableau d'Anne-Catherine avait été acheté aux descendants de Giovio. Son interlocuteur à la cour était Riccio, le majordome du duc. Tout se tenait.

Le tableau dont parlait Bacigalupi, c'était bien sûr le portrait de Cosme Ier en habit de guerrier, le chef-d'œuvre de Bronzino dont l'original est aux Offices. S'il se vérifiait que le portrait de Cosme avait été doté d'un couvercle, et que celui-ci se révélait être le tableau d'Anne-Catherine, cela provoquerait l'effet d'une bombe.

Mais Bacigalupi ajoutait un second post-scriptum, qui modéra très vite mes espérances.

P.-S. 2. – *Pour ce qui est des clés que tu crois avoir décodées – la phrase de Virgile, la bague, le mot qui diffère par rapport au texte original de Machiavel –, sans vouloir te vexer, mon cher Guido, l'explication que tu donnes est logique, mais elle me paraît facile. Graver un 2 inversé sur une bague pour indiquer qu'il s'agit d'un couvercle, cela me semble peu "florentin"... N'oublie pas quels êtres subtils étaient tes ancêtres... As-tu perdu ton mordant dans les replis confortables de la candeur universitaire ? A demain, cher ami suisse...*

Bacigalupi avait raison, je m'étais fourvoyé. J'avais même commis une erreur de jugement élémentaire qu'il n'avait pas relevée, par charité sans doute : au moment où Bronzino peignait le couvercle, il ne pouvait pas prévoir qu'il serait séparé de son tableau... Les clés avaient donc un autre propos.

Lequel ? Rien n'était gratuit dans la Florence du XVIe. Bacigalupi semblait penser à un couvercle. Les indices menaient ailleurs. Où ?

Une heure avant l'arrivée d'Anne-Catherine, je me douchai et m'habillai de frais. Je m'étendis sur le canapé, jambes posées sur un accoudoir, tête sur l'autre, et décidai de fantasmer. Je pensai au corps de la serveuse, puis à celui d'Anne-Catherine. Je vis Alain la dévoiler, effleurer sa poitrine de ses belles mains immenses. Elle était dénudée jusqu'à la taille. Sa respiration était rapide. Les mains immenses et souples d'Alain lui enveloppaient les seins. Je quittai vite cette image et ramenai mes pensées à la serveuse. Ce doit être merveilleux d'être baisée par votre fils, me dit-elle. Vous devez être très fier. Pas de vous, voyons ! De votre fils ! Parce que baiser, ça vous intéresse encore ? Mais les vieux ne baisent pas !

Ma mise en condition tournait à la farce. Que se passerait-il quand Anne-Catherine serait là ? Après les formalités ? Après avoir examiné les photos, disserté sur les couvercles ? Sur Bacigalupi, sur Florence, sur le monde entier ? Quand elle allait me dire : Je vous aide à porter les verres à la cuisine ? Que nous nous retrouverions debout, les mains vides, l'un près de l'autre ? Je serais fatigué, inapte et flasque.

Etendu sur le canapé, je regardai passer l'heure. Moins vingt-cinq. Moins le quart. Moins dix. Moins trois. Plus deux. Plus cinq. Plus sept. Elle ne viendrait pas. Tant mieux. Ça m'éviterait l'humiliation. Plus huit. J'étais soulagé.

A six heures dix, elle sonnait. Pantalon noir, pull noir et regard fixé au sol, aussi fuyant que si elle venait de voler un tronc d'église. Elle n'avait pas envie que je la détaille. Elle ne voulait rien boire. Elle semblait regretter d'être venue. Je l'installai devant l'écran.

— Vous vouliez voir les photos ?

Elle dit que non, après tout elle connaissait le tableau. Sauf si... Mais non, il n'y avait rien de nouveau, à part la bague. Je m'assis face à elle. Ma table de travail était encombrée de livres et de notes. Je me dis : Ça fait sérieux et bohème. Puis je me rendis compte de combien j'avais vieilli. Une femme venait me rendre visite et je pensais à mon image d'intellectuel.

Je lui fis un compte rendu de mes recherches : les codes, l'intérêt de Bacigalupi, ses réserves, son idée de faire un double de la pièce. Elle connaissait un ébéniste à Nyon. Je le contacte demain, me dit-elle. Mon hypothèse sur le portrait de Cosme Ier, je la gardais pour plus tard. J'ajoutai simplement :

— Demain, j'en saurai plus.

— Vous me tiendrez au courant ?

Elle avait dit cela d'un air mal assuré. Je lui proposai à nouveau quelque chose à boire.

— J'ai peu de temps.

Puis elle ajouta, comme à regret :

— Vous avancez. Et puis ces découvertes...

— C'est moi qui vous suis reconnaissant. Ce n'est pas tous les jours qu'un historien de l'art découvre une œuvre inconnue d'un grand peintre.

— Et puis c'est gentil de me tenir au courant. Malgré...

— Malgré quoi ?

— Vous savez... Vous expliquez bien.

— C'est mon métier.

— Je sais. C'est pour ça que...

Elle s'arrêta. Elle regretta ses mots, se reprit :

— Je... Je devais avoir l'air très idiote, l'autre jour, à la maison. Vous méprisez mon milieu, n'est-ce pas ?

— Je ne le connais pas.

— Vous le connaissez.

— Mon père est mort en allant chercher son patron au club de golf de Cologny.

Elle le savait. Elle ajouta, tête baissée, qu'elle avait beaucoup d'admiration pour moi.

— Un fils de chauffeur devenu professeur d'université, ça console. On se dit qu'on ne les a pas si mal traités, ses gens de maison...

— Vous êtes méchant.

— Comment savez-vous pour l'accident ?

Le regard toujours braqué au sol, elle raconta. Elle avait parlé de l'expertise à sa grand-tante. La vieille dame avait fréquenté les Rey-Castella et se souvenait de l'accident.

— Vous avez un aréopage de grands-tantes, de maris fortunés, de frères et sœurs grands avocats, des maisons à la campagne, des chalets... Une vraie garde prétorienne !

Elle se leva, me tendit la main, laissa tomber un très court “à bientôt”, et quitta l’appartement.

SIX

C'EST CLASSIQUE, me dit Nicolas, mon urologue. Si, lorsqu'on se retrouve chez soi en compagnie d'une belle femme, on crée l'incident, c'est par crainte de l'échec. On préfère tuer le désir. Pour finir, on n'a plus rien : ni désir, ni peur, ni sexe. Un cercle vicieux. J'appelle ça baisser le store.

Je restai silencieux.

— Tu veux un produit qui t'aide ? C'est ça ?

— Je crois.

Il se mit à écrire une ordonnance. Il levait la plume pour m'expliquer mon cas, se remettait à écrire, recommençait à me parler de façon hachée, et ainsi de suite, ce qui m'obligeait à lui prêter une attention presque hiérarchique et transformait mon embarras en agacement :

— Donc... Pour avoir une érection, il te faut des hormones, tu en as... Un système neurologique, tu en es pourvu… l'envie de relations sexuelles (il me regarda) : j'imagine que… ce n'est pas le… problème. Voilà.

Il me tendit l'ordonnance et poursuivit son explication : mon seul problème, c'était les artères.

— L'âge, mon vieux, tu n'y peux rien. Une érection, c'est un afflux de sang dans le pénis. Si le sang vient, ça marche. S'il n'en vient pas suffisamment, on dilate les vaisseaux.

Il s'interrompit à nouveau, me regarda bizarrement durant quelques instants, comme s'il était à l'affût d'une réaction, puis reprit :

— J'aime bien prescrire le Viagra. Il existe en doses de 25, 50 et 100. Je te prescris du 25.

— Si ça ne suffit pas ?

— Ça suffira. Au pire, tu en prends deux. La première fois, tu le prends à blanc.

— A blanc ?

— Sans compagne. Pour t'habituer aux effets secondaires, en général des céphalées, des rougeurs, un peu de congestion nasale, rien de grave. Comme ça, au moment… bref, tu ne seras pas surpris.

— Quand je ne serai plus seul…

— Tu as tout compris. Ça vient en emballage de quatre. Je mets sur l'ordonnance : A répéter.

A peine avais-je quitté Nicolas que je pris conscience d'avoir à franchir un nouvel obstacle : il me fallait présenter l'ordonnance... Cette perspective me troubla à un point tel qu'au lieu de descendre la rue Charles-Galland qui m'aurait conduit chez moi, je remontai la route de Florissant. A hauteur de la rue de Contamines, je me rendis compte de l'absurdité de l'itinéraire. Je m'apprêtais à faire demi-tour lorsque j'aperçus la pharmacie qui faisait l'angle entre Florissant et Contamines. Je poursuivis ma route d'un pas lent, et, avec une nonchalance feinte, jetai un coup d'œil à l'intérieur. Il n'y avait pas de clients. Un homme aux cheveux gris et une femme très jeune discutaient derrière le comptoir. Je décidai de ne pas prendre le risque d'être servi par la jeune femme. De peur que quelqu'un ne me reconnaisse, je continuai à marcher d'un même pas flâneur et pris le chemin du retour en faisant le tour du pâté par la rue Léon-Gaud.

Mon périple achevé, je tombai sur l'imposante pharmacie qui donnait sur l'avenue de Champel. Je comptai quatre clients et trois personnes pour les servir. J'imaginai la scène : Et pour monsieur, ce sera ? Je remis l'achat du Viagra à plus tard.

J'avais soixante ans quand le monde entier s'était mis à parler du Viagra. Le mépris que je ressentais alors pour ceux qui envisageaient d'en prendre me revenait comme une gifle à travers le visage.

Aussitôt rentré, je consultai mon ordinateur et y trouvai le courrier que j'attendais.

Mes premières conclusions sont déroutantes, m'écrivait Bacigalupi. *Regispani a demandé le concours de De Micheli, le responsable de l'atelier de restauration, et d'un assistant. Avant-hier soir, après la fermeture du musée, tu nous aurais vus ! Quatre conspirateurs à leur premier coup... Nous avons dû déplacer le portrait de Cosme. Il nous était impossible de l'examiner dans la salle octogonale où il est exposé, la lumière y est exécrable. Et, surtout, le portrait est sous verre. Dans les locaux du quatrième, nous l'avons libéré de son cadre. A la loupe et sous forte lumière, nous avons observé ses arêtes verticales. Il y a bel et bien des traces de frottement. L'usure des bords est faible, mais indiscutable. Nous avons remarqué autre chose : les arêtes sont légèrement de biais. J'avais oublié l'importance de cet indice. Il est caractéristique des tableaux qui ont eu un couvercle à glissières. Le biais facilitait le mouvement de tiroir. Le tableau en ta possession pourrait donc être le couvercle du portrait de Cosme. Les dimensions que tu m'as communiquées montrent qu'il y a concordance approximative. Y a-t-il exactitude ? On le vérifiera grâce à la réplique. J'espère que tu l'as commandée.*

Si cette conclusion se vérifie, le doute reste malgré tout de mise, et voici pourquoi. Hier, j'ai fait un saut à la piazza Beccaria. Les Archives sont une véritable montagne. Tout est répertorié, mais toujours sous un seul nom. La correspondance de Giovio regroupe les lettres qu'il a reçues, mais pas nécessairement celles qu'il a envoyées, sauf si à l'époque elles ont été copiées, ce qui était souvent le cas pour la correspondance des personnages importants. Il n'y a pas de classement spécifique pour la correspondance de Bronzino. Ses lettres peuvent être dans n'importe lesquelles des nombreuses archives de l'époque. Quand tu viendras, note bien de demander

Marco Fantacci, l'un de leurs archivistes, un vrai champion.

C'est lui qui m'a trouvé deux lettres intéressantes dans la correspondance de Giovio, l'évêque qui avait commandé le tableau pour le compte du duc. La première est la copie d'une lettre adressée par Giovio à Bronzino. Datée de janvier 1546, elle lui donne mandat de représenter le duc "en habit de guerrier, mais sans aucune manifestation violente. Il faut que notre très noble duc soit dépeint avec sur son visage la sérénité des plus grands." La lettre demande aussi que le tableau soit "enrichi d'un couvercle apte à souligner, et même à renforcer, par une allégorie, la dimension spirituelle de notre très illustre et très estimé duc".

La deuxième lettre, écrite dix mois après la première, est de Pierfrancesco Riccio, le majordome du duc. Il écrit à Giovio et le remercie "d'avoir commandé à Bronzino une allégorie aussi belle et majestueuse de notre duc très bienveillant".

A en juger par ces deux lettres, je ne crois pas que le tableau dont tu t'occupes puisse correspondre à ce qu'en disent Giovio et Riccio. Il est trop sévère. Surtout, il n'est pas assez figuratif. La présence de la main, magnifique et d'apparence très bronzinienne, je le concède, ne suffit pas à en faire une allégorie "belle et majestueuse", comme l'écrit Riccio.

Malgré tout, je suis intrigué. Il y a des coïncidences. Je t'ai dit qu'elles me paraissaient peu florentines. Et pourtant...

Je t'attends. Tanti saluti.

ANTONIO.

La longue lettre de Bacigalupi aurait dû m'enthousiasmer : il m'offrait une collaboration inespérée, et, sans pouvoir en préciser la juste place, il pressentait que le couvercle était une pièce importante de l'œuvre de Bronzino. Pourtant sa lecture ne provoqua chez moi aucun emballement. Trop de choses m'accaparaient : le tableau, Anne-Catherine, la perspective de retrouver une vraie érection, et, surtout, de façon pressante, l'achat des pilules.

Je m'imaginai marchant d'un air détaché devant la pharmacie de Florissant, à guetter qu'un client providentiel occupât la petite vendeuse. En voici un qui entre et se dirige vers elle. Je fonds sur le pharmacien aux cheveux gris et lui tends l'ordonnance. Le téléphone se met à sonner. Le pharmacien aux cheveux gris va répondre. Il se perd en explications. La petite vendeuse en a fini avec son client. La voilà qui veut aider son collègue. Elle lui demande s'il veut qu'elle me serve. Pris dans sa conversation, il ne comprend pas. Elle lui prend l'ordonnance des mains, fait à haute voix : C'est donc... ? Elle lit, comprend, et d'un coup se tait. Son regard dévie, puis revient vers moi. Nos yeux se croisent. A quoi ressemble un vieux qui cherche l'érection ? Elle en a déjà vu, bien sûr. Mais un vieux désemparé devant les effets de l'âge, c'est comme un accident d'auto. Il n'est pareil à aucun autre. Alors on ralentit, on hésite, on jette un regard rapide. On souhaite voir du malheur. J'imagine la fille qui raconte sa journée à son ami : "Je lisais sa détresse sur son visage. Ça ne doit pas être marrant d'être vieux."

De retour chez moi, j'appelai Nicolas et lui demandai de me refaire l'ordonnance.

— J'ai mis : A répéter ! Tu as déjà tout pris ?

— Fais-la à un autre nom.

Il comprit.

— Tu la mets sous enveloppe ?

— Ne t'en fais pas.

Des patients qui prennent du Viagra, il devait en recevoir dix par jour. Je me sentais honteux. Accablé, aussi, par la succession d'étapes à franchir, toutes humiliantes : je devais affronter l'urologue, puis son assistante, puis le pharmacien, pour autant que tout se passe bien, que des clients de la pharmacie ne soient pas malgré eux pris dans la farce. Cela avant même d'avoir pris ma première pilule. A blanc...

Mon prochain obstacle serait le regard de l'assistante. "Mais je ne comprends pas, docteur, c'est pour votre patient de ce matin ?" En auront-ils ri ? Pas même, sans doute. Un homme honteux de ne plus avoir d'érection, quoi de plus banal ?

Plus tard dans l'après-midi, je passai au cabinet. L'assistante me reçut avec un sourire chaleureux.

— Le docteur m'a remis cette enveloppe pour vous.

Je sais, disaient ses yeux. C'est la nature qui veut ça. Courage.

Sitôt dans la rue, j'ouvris l'enveloppe. Nicolas avait fait l'ordonnance à un Jean-Marc ou Jean-Marie quelque chose, un nom illisible. Je remontai à nouveau la route de Florissant, puis, à l'angle de la rue des Contamines, je rebroussai chemin par la rue Léon-Gaud. Je passai à pas lents devant la pharmacie de l'avenue de Champel, n'osai rien, et rentrai chez moi. Arrivé rue de Candolle, je me dis que je me sentirais peut-être moins gêné si je m'éloignais de Genève, et je filai en voiture à Annemasse.

Tout au long du trajet, mon cœur battait la chamade. J'essayai de me raisonner : je vais acheter un médicament normal, conçu pour les hommes de mon âge. Mais il n'y avait rien à faire, j'étais pétri de honte, comme si je m'apprêtais à commettre un vol. La comparaison était si ridicule qu'elle eut pour effet de me redonner un peu de dignité. Mais le répit fut de courte durée. Je me rendis à l'évidence : prendre du Viagra, c'était faire de moi un homme qui désormais avait besoin du Viagra. C'était signer mon acte de vieillesse.

Je repérai une pharmacie dans la zone piétonne. Elle était petite, à l'ancienne. Le pharmacien, qui devait avoir une quarantaine d'années, était seul.

— Vous faites les ordonnances suisses ?

— Vous permettez ?

Il jeta un coup d'œil à l'ordonnance, se retourna, fit glisser un long tiroir, en sortit un petit emballage, et m'annonça le prix.

Pas de quoi fouetter un chat.

Durant tout l'après-midi, j'eus un trac épouvantable. Le soir venu, je m'installai devant mon poste de télévision, regardai un bout de film, puis un autre. A neuf heures trente, je pris une pastille de 25. L'envie doit être là, avait dit Nicolas. Elle était absente, chassée par l'angoisse. Je me mis à zapper les programmes à la recherche d'un film suggestif. Sans succès. Trente minutes plus tard, je ne ressentais toujours rien. J'essayai de fantasmer sur Anne-Catherine. Très vite cela me mit dans l'embarras. Je pensai à la petite serveuse brune. Sa vision me renvoya à Alain. Je chassai le souvenir de la petite serveuse et me rappelai la soirée avec Hannah, la libraire. Image horrible que je refoulai très vite.

Je me rendis pour finir à cette triste évidence : je n'avais pas envie d'une femme. Si je désirais Anne-Catherine, c'était d'une envie douce, qui ne me dévorait pas. Ma vraie envie était d'avoir envie.

Une heure après avoir avalé la première pilule, j'observai un semblant d'effet. Je me décidai à prendre une deuxième pilule. Devant le miroir du lavabo, je constatai que j'avais les joues rouges. Un quart d'heure puis deux passèrent, sans apporter aucun changement à mon état. Puis, d'un coup, ce fut merveilleux.

Heureux et terriblement fier, j'allai me coucher.

Le lendemain matin, j'appelai Anne-Catherine. Elle semblait d'aussi bonne humeur que moi.

— Vous ne me détestez plus ?

— Vous, non, mais vous êtes bien la seule parmi les vôtres.

Elle rit un peu trop fort. Il s'ensuivit un de ces silences inattendus dans lesquels on se sent si heureux qu'on veut les préserver. Au bout de longues secondes, elle se racla la gorge :

— L'ébéniste livrera la copie dans dix jours. Et vous ? Vous avez des nouvelles ?

Je lui fis part des réserves de Bacigalupi. Elle sembla déçue.

— Ça veut dire qu'on ne va pas plus loin ?

— Le mystère s'épaissit mais nous le percerons !

J'attendais un rire. Ce fut de nouveau un silence.

— Que dois-je dire à mon ébéniste ?

— Qu'il se dépêche.

— Ah.

C'était dit dans un souffle, comme un soulagement. Vint un troisième silence.

Nous le laissâmes s'étirer, s'épaissir, nous lier. Il dura vingt secondes, peut-être. Chacune était un aveu. Nos premiers mots tendres, ce furent ces paroles non dites.

Je sautai dans le vide :

— Je veux vous revoir.

— Oui.

C'était un oui impatient. Nu.

— Pas pour parler peinture.

— Je sais.

— Vous... J'ai envie de vous prendre dans mes bras.

— Oui.

— Venez.

— Je peux à trois heures.

— Venez.

Je raccrochai si vite que j'en frappai l'écouteur sur son socle. Je fis le lit, rangeai, tournai en rond. A deux heures moins le quart, je pris deux pastilles.

Anne-Catherine sonna à trois heures cinq. Elle était vêtue en sportive élégante : pantalon beige et blazer bleu ciel sur un chemisier de soie blanche.

Ce fut deux "bonsoir" dits de loin.

— Ça va vous paraître idiot, mais j'aimerais bien une tasse de thé.

Je devais avoir l'air ahuri. Elle ajouta, les yeux fixés au sol :

— Je vous en prie...

Quelques minutes plus tard, nous étions assis au salon, chacun hésitant à poser sa tasse, de peur de se sentir désœuvré. L'angoisse me prit soudain qu'elle puisse se douter de mon recours à un médicament. Mais je me dis vite que les joues chaudes, cela pouvait passer pour de l'émotion.

— Je crains beaucoup de vous décevoir.

Je restai coi. Elle poursuivit :

— Je n'ai pas fait l'amour depuis presque deux ans.

— Vous êtes une femme splendide.

— Ma sœur aînée a repris l'étude de mon père. Elle est brillante, admirée, avocate de renom. Elle a des jambes de mannequin. Elle a connu plein d'hommes. Je ne suis pas du même calibre.

— C'est vous qui m'êtes importante, pas votre sœur.

— J'ai fait une école d'assistantes sociales. Je suis celle qui vient après.

Elle ajouta : Je ne suis pas forte… Ne l'oubliez pas.

Puis, après une pause, chuchota : S'il vous plaît.

Elle se leva. Je l'aidai à ôter son blazer. Son chemisier, porté près du corps, faisait ressortir ses épaules. Elles étaient larges et puissantes, comme l'étaient celles d'Isabelle. Je lui caressai le visage, d'abord de la paume de ma main droite, puis, lorsqu'elle ferma les yeux, des deux mains. Elle plaqua ses mains sur les miennes et m'offrit sa langue, tout de suite, complètement.

Dans la chambre, elle m'embrassa encore, légèrement, sur la commissure des lèvres, puis me demanda d'éteindre. Elle s'excusa :

— Je n'ai plus vingt ans.

Elle se rendit compte de son faux pas. Je lui souris. J'éteignis partout, sauf à la salle de bains, d'où un pan de lumière tombait dans la chambre et créait une pénombre.

*

Elle eut un petit râle. J'aurais voulu l'enregistrer. L'écouter en boucle, comme on le fait des airs dont on ne se lasse jamais. Me convaincre, encore et encore, qu'à nouveau j'étais capable de procurer du plaisir à une femme, de lui faire l'amour en amant détaché, rodé, qui contrôle, domine, et comble.

*

Elle remonta le drap sur sa poitrine, me prit la main, et la serra très fort. Bouche collée à mon oreille, elle chuchota quelques mots de gratitude. Je voulus les entendre à nouveau, en nourrir ma vanité.

— Qu'as-tu dit ?

— Je ne me suis jamais sentie aussi femme. Je n'ai pas honte de le dire.

De l'index, je lui caressai la joue. Le geste aurait pu être tendre. Il n'était que fat.

Si à cet instant le courage m'était venu de dire : "Moi aussi je reviens de l'autre rive. C'est à ta beauté, à ta grâce, à ton amour que je le dois", les choses se seraient sans doute déroulées autrement. Nous nous serions raconté nos blessures. Nous les aurions apaisées. Nous nous serions dit : Ce n'est rien. Nous aurions formé un couple.

Mais j'eus peur. Une confidence en aurait amené une autre. J'aurais fini par me trahir. Elle aurait compris que ce qui m'importait le plus, à cet instant, ce n'était pas de l'aimer. C'était de me sentir un homme. Que mon histoire d'amour, c'était avec moi-même que je la vivais. Alors je ne dis rien.

CINQ

DEPUIS quinze jours je fouille, j'analyse, je recoupe. Je lis beaucoup. Mais je lis mal. J'ai des hésitations de débutant. Mes réflexes sont lents. Ma concentration est capricieuse. De toutes ces failles, je connais la cause. Ce n'est pas l'âge. C'est la dérobade. J'ai arrêté la vraie recherche bien avant de prendre ma retraite. Mes publications ont été une suite de réchauffés sur Raphaël et sur Rubens. J'ai passé mon temps à accommoder des restes. J'ai perdu l'habitude de penser en scientifique. Je suis hésitant sur tout : Bronzino a-t-il entretenu une correspondance personnelle ? Qui étaient ses proches ? Lequel de ses amis aurait-il choisi pour partager une confidence ? pour lui confier un secret ? La vérité se cache dans les archives, avait dit Bacigalupi. Pour autant qu'elle existe…

Le résultat de mes lectures se résume à une liste de six noms. Jacopo Pontormo, le patriarche, grand peintre, père adoptif de Bronzino. Luca Martini, l'*amicissimo*, son compagnon le plus cher, notaire à Pise. Ugolini Martelli, praticien et homme d'Eglise, dont Bronzino avait fait un portrait chargé de symboles. Giorgio Vasari, peintre à la cour du duc, concurrent et biographe de Bronzino. Benedetto Varchi, l'ami de toujours, historien et grand chroniqueur de la vie florentine. Enfin Alessandro Allori, peintre de talent que Bronzino considérait comme son fils. Six noms. Et autant de pistes à suivre aux Archives.

Vasari était un concurrent. Bronzino lui avait été préféré pour peindre les fresques de la chapelle d'Eléonore de Tolède, au Palazzo Vecchio. En compensation, Vasari avait reçu mandat de décorer la résidence de campagne du duc. La rivalité entre les deux hommes avait été ouverte. Aurait-elle pu pousser à l'aveu ? Les liens avec Pontormo étaient d'une nature toute différente. Bronzino lui était proche. Respectueux. L'aurait-il choisi pour lui faire une confidence ? Sans doute que non. Martelli et Varchi avaient-ils été l'objet de sentiments amoureux de la part de Bronzino ? Et Martini, l'*amicissimo* ?

Giovio et Riccio, l'évêque et le majordome, savaient favoriser une carrière autant qu'éteindre un talent. Ils bénéficiaient d'attentions constantes de la part des artistes de cour. Aux prévenances d'un peintre favori, tel autre contre-attaquait par des égards plus importants, des compliments plus subtils, un engagement plus intime. La vie des artistes se déroulait sur des sables mouvants. Chaque amitié, chaque commande, chaque geste était sujet à détournement. Il régnait dans l'air de Florence une envie féroce de gloire et d'honneur. Comment mettre au jour les tensions ? les ambitions inassouvies ? les projets contrariés, les désirs de nuire ? Seules les archives pourraient m'aider à y voir clair. Je crains pourtant qu'elles ne se révèlent semblables à ces boîtes restées fermées si longtemps que lorsque enfin on les ouvre, on n'y trouve rien, si ce n'est un résidu maigre et sec d'où s'échappe une petite odeur fétide.

*

Nous avions dit quatre heures. Vers deux heures et demie, alors que je pensais à mes ébats récents avec Anne-Catherine, je me demandai si désormais ma capacité à faire l'amour ne dépendait pas plus de mon envie retrouvée que de l'absorption de Viagra. Si elle s'était estompée, ce n'était pas sous l'effet du vieillissement, mais bien par engourdissement. Maintenant, tout était rentré dans l'ordre.

Une heure durant, la perspective de ne plus faire appel à la chimie me remplit de fierté. Puis vint le doute. Si par malheur les pilules se révélaient m'être malgré tout indispensables, je risquais de devoir affronter une situation difficile. Je résistai pourtant à ces arguments et décidai de ne pas prendre les pilules.

Je me préparai un café fort, m'étendis sur le canapé du salon et me mis à consulter sans cesse ma montre. Cette agitation était due à mon habitude nouvelle : après avoir pris mes pilules, je m'assurais toujours qu'elles agissaient dans le temps voulu. Maintenant, le fait de garder les yeux sur ma montre sans les avoir prises me rendait nerveux. Au fil des minutes qui me séparaient de l'arrivée d'Anne-Catherine, ma confiance s'effritait. Finalement, je compris que la peur de ne pouvoir atteindre l'érection avait réduit à néant toute possibilité de l'obtenir.

A quatre heures moins le quart, l'idée de tout raconter à Anne-Catherine me traversa l'esprit. Je l'abandonnai très vite. J'aurais été incapable de trouver les mots justes.

A quatre heures moins dix, je me précipitai à la cuisine, où se trouvait ma réserve de pilules. Elles étaient cachées dans la boîte à riz. J'en avalai deux.

A quatre heures dix, elles n'avaient encore produit aucun effet. Rien de mieux un quart d'heure plus tard. J'étais dans un état de fébrilité extrême, et le café très fort que j'avais absorbé y contribuait sans doute. Par bonheur, Anne-Catherine était très en retard. A quatre heures trente-cinq, je calculai : cela faisait trois quarts d'heure que j'avais absorbé les pilules, et je n'en ressentais encore aucun effet. Je me décidai à en prendre une troisième.

Anne-Catherine sonna à cinq heures moins vingt. "On avait dit quatre heures et demie, puisque après nous allons dîner ?" Elle avait raison. Quatre heures, c'était l'avant-veille.

— Tu veux un thé ?

— C'est toi que je veux...

Elle ajouta les yeux baissés :

— Si on m'avait dit qu'un jour j'oserais ces mots...

Elle m'embrassa sur la joue longuement. Un baiser de gratitude.

L'effet cumulé des trois pastilles vint d'un coup, très fort. Je pénétrai Anne-Catherine avec brutalité, et fus stupéfait de constater qu'elle répondait de même manière à cette façon d'aimer. Pour la première fois, elle exprima son plaisir par un cri qu'elle répéta à plusieurs reprises. Elle s'autorisa des gestes dont l'audace me flatta, et l'intensité de ces instants me procura un sentiment de bonheur extraordinaire.

Après l'amour, Anne-Catherine resta étendue sur le dos, nue, le visage tourné vers le mur, gênée, peut-être, de s'être laissée aller à tant de liberté. J'admirai sa poitrine, large et pleine, à peau souple, qui éclatait de force et de vie. J'avais pris l'habitude de passer mon doigt sur les deux cicatrices qu'elle portait au flanc de son sein gauche. J'essayais de m'approprier ces deux petites lignes. Elles perturbaient mon plaisir. Le commentaire que m'avait fait Alain au Socrate me revint : "Une poitrine un peu forte, mais superbe." Ces cicatrices m'irritaient. Je fis un geste vers elles. Anne-Catherine l'anticipa et se recouvrit du drap. Je voulus le retirer, mais elle s'y accrocha et tira de son côté avec tant de vigueur que pour finir ce fut elle qui le garda en main. La lutte s'était faite sans joie.

— Je crois que j'ai été élevée dans la honte comme règle de vie, me dit-elle après quelques minutes de silence.

Elle avait parlé d'une voix blanche, comme pour elle-même.

— On s'interdit les plaisirs avant d'y succomber...

— Tu te moques...

— Qu'as-tu fait de si honteux ?

Elle ne répondit pas. Je voulus lui caresser les cheveux, mais elle refusa mon geste.

— Ma sœur aînée passe son temps à oser. Elle a des liaisons qu'elle vient me raconter, me dit : "Tu as de la chance, tu es raisonnable, tu évites les emmerdes", puis elle part, trois jours avec l'un, une semaine avec l'autre, et se fiche bien de ce que diront les gens. Elle est forte. Moi, je n'ose pas. Je passe mon temps à faire le bien sans plaisir. A écouter chuchoter derrière mon dos combien Anne-Catherine est merveilleuse. Comment donc ! Chacun me reconnaît le mérite de ce que je fais, mais personne ne me dispute la place. Vivre, ce n'est pas ça.

Elle réfléchit encore :

— La seule personne qui ait compris ma honte, c'était ma belle-mère. Une petite dame frêle que je prenais plaisir à rudoyer. Elle me regardait de ses yeux si bleus qu'ils en étaient presque blancs. Elle avait pour moi une affection triste qui semblait dire : "Je te comprends, ma petite Anne-Catherine, je sais bien ce dont tu souffres."

— De quoi ?

— Je te l'ai dit. D'avoir une sœur brillante. Plus grande, plus mince, plus belle. D'être celle dont on ne dira jamais : "C'est ma fierté."

— Ton père t'aimait moins ?

— Il l'estimait plus.

Elle ne dit rien, l'espace de quelques secondes, puis ajouta :

— Lorsque nous avions dix-douze ans, nous étions scouts, ma sœur et moi, dans une compagnie pour filles, bien sûr, qui par défi ne donnait que des surnoms masculins. J'étais sportive, je courais vite, et on m'avait baptisée Zatopek, du nom d'un champion olympique. Pour ma sœur, les filles avaient choisi Fredastaire. Voilà. Pendant des années, c'était Zatopek et Fredastaire. Pas besoin de faire un dessin.

Son regard s'assombrit un instant. Puis elle secoua la tête et sourit, à nouveau d'attaque.

— Et toi, monsieur qui domines les corps et les esprits, as-tu honte de quoi que ce soit ?

Elle se mit à rire, contente de sa formule.

Sa remarque me glaça. Que guettait-elle ? Pensait-elle qu'un homme de mon âge ne pouvait pas faire l'amour avec autant de constance sans avoir recours à la pharmacie ? Il y avait dans son regard un air de ne pas trop y croire qui me fit craindre la question assassine. Puis elle me lança :

— Dis donc, tu es en forme…

Je souris, rassuré au point sans doute d'avoir l'air benêt.

— Alors, tu n'as jamais honte ? On ne serait pas un peu prétentieux, monsieur le professeur ? un peu égoïste ?

— Tu as à te plaindre ?

— Et qu'en savez-vous, monsieur le professeur ? Vous semblez bien sûr de vous, monsieur le professeur. Vous connaissez donc si bien les femmes ?

Elle avait à nouveau un sourire jubilant. Elle devait être émerveillée de son audace.

— Un peu, il me semble…

— Il vous semble ! Parce que pour vous, les collectionner et les connaître, c'est la même chose, monsieur le professeur ? Etes-vous certain de connaître une chose qui vous est si étrangère ? Hein ? Hein ? Hein ?

A chaque "hein" elle me gratifiait de petits baisers sur le visage. Je me penchai sur elle et l'embrassai longuement. Quand je redressai la tête, elle chuchota :

— Alors ?

Ses mots sur la honte m'avaient décontenancé. Qu'avais-je osé ? Qui de nous deux était le plus fort ?

— Non. Je ne ressens aucune honte.

— Parce que monsieur a été choyé ! Monsieur a reçu beaucoup d'huile d'olive ! Monsieur Dagheloli a été nourri à la meilleure huile d'olive du monde… Monsieur Dagheloli est un peu prétentieux…

Elle sauta du lit d'un bond. Toute nue, les yeux impertinents, elle me regardait sans aucune retenue.

— J'ai faim !

J'attribuai sa gaieté à mes performances de l'après-midi. Cela me rendit vaniteux. Je lui proposai le Socrate. Elle n'y avait jamais été, me dit-elle.

*

Alors que nous remontions la rue de Candolle, elle m'avait pris le bras. Elle le serra soudain fort contre elle, me retint et chuchota :

— J'espère que nous rencontrerons des gens qui nous connaissent…

Je me dis qu'elle devait être amoureuse, à vouloir ainsi chercher le reflet de son bonheur dans les yeux des autres.

Au Socrate, alors que le patron s'apprêtait à prendre notre commande, je vis Alain qui jetait un coup d'œil à la ronde, à la recherche d'une table. C'était pour le croiser que j'avais choisi le Socrate. Je m'approchai de lui, l'embrassai et l'invitai à s'asseoir à mon côté, face à Anne-Catherine.

— Je ne veux pas vous déranger.

— Je crois que vous vous connaissez.

Ils se serrèrent la main en souriant. Alain s'adressa à moi :

— Je ne viens jamais le soir, mais là j'ai opéré tard et je dois retourner en salle de réveil.

Anne-Catherine avait l'air heureuse. Elle nous observait. Son regard passait de l'un à l'autre, revenait, retournait.

— C'est fou comme vous vous ressemblez.

Alain lui sourit.

— Vous allez tout à fait bien ?

— Très, tout à fait.

Elle ajouta :

— Merci !

Il sourit à son tour en hochant la tête.

Le repas fut pris en vitesse. Alain insista pour nous inviter, ce qui m'irrita encore plus. Maintenant je regrettais d'être venu et lui en voulais d'être là. Anne-Catherine dit :

— Tu as l'avion à quelle heure ?

Alain me demanda, surpris :

— Tu pars en voyage ?

— Florence, quelques jours.

— Vous y allez aussi ?

— Je ne peux pas. J'ai ma fille. C'est la période d'examens…

— Ah !

— Je fais deux pas avec vous, dit Alain alors que nous quittions le Socrate, ça me fera du bien avant de retourner en salle de réveil.

Je ne compris pas qu'il veuille nous accompagner. Le repas s'était déroulé dans une atmosphère embarrassée, et nous n'étions pas restés sur une de ces conversations que l'on tient à terminer à tout prix.

Les quelques minutes de marche jusque chez moi se déroulèrent dans le silence. J'embrassai Alain. Anne-Catherine et lui se firent la bise. Je guettai un geste, une trahison. Rien. Alain entreprit de remonter la rue de Candolle en direction de l'hôpital.

— Tu dois te lever tôt, me dit Anne-Catherine.

Elle m'embrassa légèrement sur la bouche et traversa la rue en direction du parc des Bastions. Je jetai un coup d'œil vers Alain. Il était à hauteur de la rue Saint-Léger. A cet instant même, il changea de trottoir, regarda sur sa gauche, et vit Anne-Catherine se diriger seule vers Place-Neuve. Il la suivit des yeux.

Je me dis que c'était peut-être cette impression qu'elle souhaitait laisser à Alain : Votre père est un monsieur âgé, cher Alain. Nous nous voyons de temps en temps, mais cela ne va pas bien loin, la preuve. Il part demain en voyage, et vous le voyez, chacun rentre chez soi.

J'en voulais au monde entier.

QUATRE

FLATTÉ par la facilité, installé dans le confort universitaire, alourdi par une routine de province, je n'aurais jamais pensé appartenir un jour au gotha des historiens de l'art. Voilà que je me complais dans cette perspective. Bientôt, mon nom sera à la une de la presse internationale. Les quotidiens parleront des "Retrouvailles de deux chefs-d'œuvre". Les magazines à grand tirage saisiront l'occasion de la métaphore : "Conçus pour vivre dans les bras l'un de l'autre, un tableau et son couvercle enfin réunis." Souren Melikian confirmera dans l'un de ses élégants articles du *Herald Tribune* que le mérite de cette découverte (dans son anglais distingué, cela donnera quelque chose comme : *this positively unbelievable discovery*) revient à Guido Gianotti, historien d'art hors norme. Il ne s'est pas contenté de découvrir une œuvre de Bronzino, dira Melikian. Il a marqué l'histoire de l'art par sa méthode. Guidé par son intuition et la chance que le destin réserve aux audacieux, Gianotti s'est lancé à l'assaut de l'improbable. Il a débouché sur l'inouï, conclura Melikian. Des musées de premier ordre m'inviteront à faire partie de leur conseil de fondation. La fine fleur du monde des arts me priera à sa table. On sollicitera mes commentaires. Ils seront repris avec vantardise : Savez-vous que l'autre jour, Guido, oui, Guido Gianotti, me disait justement... Mes articles, autrefois confinés aux revues savantes, seront désormais réclamés par les magazines grand public. Qui sait si Melikian ne regrettera pas des propos qu'il jugera rétrospectivement trop élogieux ? Il se sera créé un concurrent... Une vie nouvelle s'ouvrira à moi, faite d'honneurs et de gloire, de revenus matériels inattendus, de rencontres féminines, comme lorsque j'étais sur l'autre rive. Des femmes riches et élégantes, disponibles, flattées de fréquenter une sommité. Consentantes par avance. Avides de pouvoir, très vite, en parler à leurs amies les plus proches...

*

Un bruit sec m'expulsa de ma rêverie. A l'aide d'un scalpel, le responsable de l'atelier, De Micheli, libérait la réplique de son emballage. Une surabondance de papier bulle – quatre couches – la séparait du kraft. De Micheli la fit émerger avec délicatesse, après quoi Regispani, le directeur, donna le signal.

— *Dai*, on y va.

Posé sur la même grande table, le portrait de Cosme Ier en habit de guerrier attendait. Le duc était peint debout, main droite sur son casque, regard porté au loin. La main et le visage formaient les deux zones claires du tableau. Partout ailleurs, il était sombre, rehaussé du rouge des parements et de la tunique que le duc portait sous son armure. Je remarquai le passepoil, identique à celui qui ornait la main peinte du tableau d'Anne-Catherine. Bacigalupi et De Micheli fixèrent la réplique à la verticale, grâce à deux séries de pinces métalliques, solidaires entre elles par un système de barres d'acier, simple et ingénieux. Une fois l'ancrage achevé, Bacigalupi vérifia d'un geste ferme qu'il était solide, prêt à recevoir le portrait.

— *Dottor Regispani, prego*, fit De Micheli.

Regispani regarda Bacigalupi :

— Ce moment vous appartient autant qu'à moi.

Avec une infinie précaution, ils soulevèrent à deux le portrait du duc, l'approchèrent de la réplique et le présentèrent à l'ouverture des glissières. Ils le tenaient chacun d'un côté, une main sur le haut de l'arête verticale, l'autre environ au tiers supérieur de l'arête horizontale.

— *Molto piano*, fit Bacigalupi.

Ils baissaient leurs bras avec une infinie lenteur, de façon à ne pas forcer la pénétration du tableau dans les glissières. L'opération sembla prendre une heure. Elle dura deux minutes au plus, au terme desquelles Bacigalupi et Regispani ôtèrent leurs mains des bords supérieurs du portrait. Il s'était glissé dans son couvercle sans résistance. Après un instant de silence, Regispani conclut :

— *E tornato a casa.*

Sa voix tremblait d'émotion. Il ajouta, s'adressant à moi :

— C'est peut-être le début de quelque chose d'extraordinaire. Bacigalupi m'a fait part du contenu des lettres de Giovio et de Riccio. La commande parlait d'une allégorie majestueuse. Les photos que j'ai vues de votre couvercle sont celles d'un tableau très sobre, presque simple... Pardonnez ma franchise, mais esthétiquement, on est loin du compte.

Bacigalupi, qui avait dû lui raconter l'histoire genevoise, vint à mon secours.

— Je crois que Gianotti a déjà fait préparer quelques pistes aux Archives...

— J'ai demandé qu'on recherche les liasses de six noms : Pontormo, Vasari, Luca Martini, Ugolino Martelli, Benedetto Varchi et Alessandro Allori. Pour autant que ces liasses existent...

— Ce sont des pistes plausibles, dit Regispani. J'espère que vous ne serez pas déçu.

J'eus un geste fataliste, qui fit sourire le directeur :

— J'avais oublié que vous connaissez nos archives d'Etat. Vous avez l'habitude du chaos...

Chacun rit un peu trop fort, tant la tension avait été intense. Je descendis avec Bacigalupi à son bureau. Il m'abandonna sur le pas de la porte.

— Donne-moi une demi-heure, après quoi nous irons aux Archives.

Des deux grandes fenêtres de son bureau, j'apercevais le Ponte Vecchio. Il était noir de monde. Je n'étais pas revenu à Florence depuis dix ans. Sans l'occasion offerte par le tableau d'Anne-Catherine, j'aurais pu ne pas y retourner pendant dix ans encore. Etait-ce la dernière fois que je voyais Florence ? Combien de choses avais-je faites, déjà, pour la dernière fois ? Combien de gestes ne referais-je plus ? Combien de plaisirs, de mets, de goûts, que je ne retrouverais plus ? A partir de quand prend-on conscience qu'on fait peut-être des choses de tous les jours pour la dernière fois ?

Le grésillement de mon téléphone m'extirpa de ma mélancolie. C'était Anne-Catherine. Elle était contente. Pour les glissières, elle dit :

— J'en étais sûre.

— Pourquoi donc ?

Elle ne répondit pas. Je laissai le silence durer, devinant à son souffle qu'elle voulait répondre, qu'elle hésitait, mais qu'elle finirait par s'ouvrir. J'avais raison.

— A quarante-quatre ans, c'est la première fois que je vis une vie de femme comblée.

— Qu'est-ce que c'est, être une femme comblée ?

Elle rit.

— Je suis heureuse de sentir que quelqu'un me manque mais qu'il sera là bientôt. Que je vais le retrouver. C'est un sentiment que je découvre. Il est délicieux. Il fait un peu mal, juste ce qu'il faut pour le rendre divin...

Elle hésitait à poursuivre. J'anticipais sa question avec embarras : Et toi, est-ce que tu vis une vie d'homme comblé ? Est-ce que je te manque ? Est-ce que tu souffres, ne serait-ce qu'un peu ? Mais elle cherchait ses mots pour me dire tout autre chose :

— Tu sais, ce matin j'ai croisé ton fils.

— Il habite à deux pas de chez toi, rue Saint-Victor.

— Je l'ai vu place du Bourg-de-Four.

— Ah !

— Il m'a offert un café à la Clémence.

— Ah !

Puis, dans un souffle :

— C'était un peu comme si j'étais avec toi.

Je n'eus pas le temps de quémander un mot qui aurait pu me tranquilliser. Au même instant la porte s'ouvrait sur Bacigalupi. Je dis à Anne-Catherine que je la rappellerais et débranchai mon téléphone portable. J'étais défait.

Fantacci nous attendait au troisième étage des Archives, à la *sala Capponi*. C'était un petit maigre, habillé tout de noir. Avec ses lunettes à monture épaisse et sa chevelure grise très abondante, il me fit penser à un prêtre-ouvrier. Il avait trouvé des liasses pour quatre des six noms de ma liste. Il n'y avait pas d'archives aux noms de Pontormo et d'Allori. La correspondance la plus importante était celle de Luca Martini. Elle faisait quatre liasses. Comme il était notaire, j'en déduisis que plusieurs documents avaient dû être conservés pour des raisons administratives. Surtout, durant ses longs séjours à Pise, il avait entretenu une abondante correspondance avec ses amis florentins. Pour Varchi et Martelli, il y avait deux liasses. Pour Vasari, une.

Les neuf cartons d'archives gris étaient déposés sur l'une des longues tables d'étude. Bacigalupi se proposa d'examiner ceux de Varchi et Martelli, quatre au total. Je me retrouvai avec cinq cartons : les quatre de Martini et celui de Vasari.

Je choisis de commencer par les liasses de Martini, l'*amicissimo*. L'amitié qui le liait à Bronzino était intime. Avait-elle favorisé la confidence ? Et puis Martini était notaire, un homme habitué aux secrets… Bronzino avait peint le duc en armure en 1547. Son couvercle avait sans doute été peint au cours de la période 1547-1548. Martini habitait alors Pise…

Je cherchai d'abord à déterminer la chronologie des cartons Martini. Ils étaient numérotés en chiffres romains, de I à IV, et portaient tous le même code, n° 250282, *pezzo* 462. J'ouvris le carton noté I et en extirpai sa *filza*. C'était un objet de luxe d'une grande élégance, un cartable en peau beige clair, tenu par des lanières de cuir couleur ivoire, trois fines paires nouées comme des lacets. Je défis soigneusement les lanières, puis évaluai le nombre de lettres que contenait la liasse. Il y en avait entre deux et trois cents, toutes d'un format d'environ quinze sur vingt centimètres, toutes écrites d'une encre brune sur papier jaune ivoire. Du fait de sa forte acidité, de nombreux trous ponctuaient les feuilles jaunes. Beaucoup de lettres étaient marquées de lignes brunes, une verticale, symétrique de bas en haut, traversée à la perpendiculaire par trois horizontales, qui délimitaient ainsi huit rectangles, dont l'un portait le nom du destinataire, les sept autres étant vierges. J'en conclus que les lignes brunes étaient les marques du pliage, lorsque le recto de la feuille faisait office d'enveloppe.

Chaque lettre foisonnait d'abréviations, de codes, de signes. La ponctuation, associée aux raccourcis, prenait des allures d'énigmes. Des lettres écrites entre initiés...

Je me retournai vers Bacigalupi. Il avait devant lui une première pile de lettres sorties de leur cartable. Des deux mains il fit un geste qui imitait la plongée. Je souris et entamai ma première liasse.

Ma façon de procéder était rudimentaire, mais c'était la seule possible. J'examinais d'abord le nom du destinataire. S'il s'agissait de Martini lui-même, alors je passais au pied de la lettre et vérifiais si la signature était par miracle celle d'Agnolo Bronzino. Si le destinataire n'était pas Martini, c'était donc une *copialettera*, le double d'une lettre qu'il avait écrite et fait copier. Je me contentais alors de vérifier si le destinataire était Bronzino. Je courais ainsi le risque de passer à côté d'une correspondance entre Martini et une tierce personne, qui aurait pu contenir des informations sur le travail de Bronzino. Mais à ce compte il m'aurait fallu lire toutes les lettres – en fait, les déchiffrer, car les calligraphies étaient tortueuses – et cent ans n'y auraient pas suffi. Avec la méthode choisie, l'examen de chaque lettre prenait environ une minute.

J'arrivai au bout de la première liasse après trois heures de travail. Elle ne contenait aucune lettre dont Bronzino fût destinataire ou signataire. Bacigalupi avait déjà examiné les deux liasses de Benedetto Varchi. Sans résultat. Il se leva et me fit signe de le suivre à la petite cafétéria adjacente à la salle de lecture.

— Si tu veux trouver quelque chose aux Archives, me glissa Bacigalupi, ce n'est pas une chambre d'hôtel qu'il te faut. Installe-toi à Florence pour de bon…

La deuxième *filza* de Martini contenait des documents notariés, principalement des inscriptions de transactions foncières. Ils étaient groupés et je les examinai en vitesse, à peine une demi-heure. Bacigalupi en avait terminé avec la deuxième liasse de Martelli. Il me fit signe et pointa l'index sur l'horloge murale. Il était dix-huit heures, et les Archives fermaient. Mes trois dernières liasses attendraient le lendemain matin.

Je décidai de rentrer à pied. J'emprunterais le Lungarno et je n'aurais qu'à suivre la rive du fleuve jusqu'à la piazza Goldoni pour retrouver mon hôtel.

Je me préparai à longer l'Arno avec plaisir. Le parcours m'avait toujours offert des instants de grande émotion : où que l'on pose les yeux, on ne voit que de belles choses. Mais j'étais de trop méchante humeur. Le bruit de la circulation, les gens que je n'arrivais pas à dépasser sur les trottoirs étroits, le souvenir de ma conversation téléphonique avec Anne-Catherine, tout m'irritait. J'imaginai Anne-Catherine et Alain attablés à la terrasse de la Clémence. Ils étaient souriants, détendus, heureux d'être ensemble. Anne-Catherine était très belle, très jeune. Elle portait une robe ample qui recouvrait son corps avec légèreté. Tout en elle dégageait la sensualité. Alain hochait lentement la tête. Il avait un sourire attentionné, patient, le même que je savais avoir lorsque je recevais mes visiteuses à la consultation hebdomadaire. Anne-Catherine parlait avec mesure, mais aussi avec assurance. Alain jouait de ses mains immenses. Il les bougeait juste ce qu'il faut, histoire de donner à l'imagination le temps de faire son travail. Elles sauront caresser votre corps, disaient les gestes d'Alain. Le parcourir. Le faire vibrer. L'embellir. Vous ne serez pas déçue. Tout se fera sans précipitation. Je prendrai le temps que vous voudrez. Regardez-moi : ai-je l'air pressé ?

A hauteur du Ponte Vecchio, je branchai mon téléphone portable, pensant qu'Anne-Catherine aurait pu m'appeler. Je le débranchai aussitôt après. Je ne tenais pas à lui parler dans un tel état d'irritation. Arrivé à la piazza Goldoni, je bifurquai sur la via Parione et poussai la porte de la première trattoria sur laquelle je tombai.

Le restaurant était en pleine effervescence. On m'installa à une table minuscule coincée contre la paroi des vestiaires. Le sol et les murs étaient recouverts de carrelage, et il en résultait un écho épouvantable. A la façon dont les clients s'interpellaient, je compris qu'ils se connaissaient tous. C'étaient des touristes hollandais qui avaient pris le restaurant d'assaut. Je mangeai vite et partis.

Arrivé à ma chambre d'hôtel, j'hésitai à brancher mon téléphone. Je m'y décidai finalement et appelai Anne-Catherine. Ce fut sans succès. A un quart d'heure d'intervalle, je fis deux autres tentatives, qui furent vaines. Finalement je le débranchai et me mis au lit.

Je n'arrivai pas à dormir. Les images d'Anne-Catherine et d'Alain m'assaillaient. Elles prenaient un tour plus intime. Je les voyais quitter la terrasse de la Clémence, et remonter côte à côte la rue Etienne-Dumont. Ils se tenaient par la main et souriaient devant eux, sans se regarder. Je voulus chasser cette image et me retournai plusieurs fois dans mon lit. Je n'arrivai qu'à la remplacer par d'autres images, plus intimes encore. Maintenant Alain était sur Anne-Catherine. Ils étaient nus, étendus en travers du lit. Alain la pénétrait avec grâce, en amant rodé.

J'allumai. Il était une heure trente-cinq du matin. J'étais épuisé. Dépassé. Infiniment triste. J'allai dans la salle de bains, avalai deux pilules de 25, attendis une heure, et entrepris de me masturber en pensant à Anne-Catherine.

*

J'étais à la *sala Capponi* dès neuf heures. Je décidai de commencer par la liasse de Vasari. D'emblée, je constatai qu'il ne s'agissait pas de lettres, mais de notes de travail, une centaine de feuillets écrits serré, en préparation à la rédaction de ses *Vies*. En faire une lecture attentive m'aurait pris des mois. Je remis les feuillets de Vasari dans leur liasse et décidai d'entamer la lecture des deux derniers cartons de Martini, numérotés III et IV.

A la neuvième lettre du carton III, mon cœur bondit. La signature indiquait "Agnolo". Mais ma joie fut de courte durée. La fatigue de la nuit me jouait des tours. J'avais mal lu. Il ne s'agissait pas d'"Agnolo" mais d'"Angelo". La signature complète, "Angelo de M.", n'avait rien à voir avec "Agnolo Bronzino". Je me laissai glisser sur ma chaise et tentai de récupérer un peu de force en effectuant une série d'inspirations et d'expirations. Alors que je me livrais à cette petite gymnastique, mon regard erra sur la lettre signée "Angelo". Il s'agissait d'une réponse à une lettre de condoléances.

Ti ringrazio per il condolio, écrivait l'auteur de la lettre. Piqué par la curiosité, je décidai de poursuivre la lecture. *Grazie Luca, dolcissimo mio amico, pour l'affection et la compréhension irremplaçables que tu m'as témoignées. Elles ont un peu adouci ma douleur. Il n'y a pas pire sentiment que celui de se sentir coupable. Tu ne l'imagines sans doute pas, toi qui es un homme si droit et si juste. Non volevo penar nessuno, je ne voulais faire de peine à personne. Te souviens-tu d'Arnaldo, celui qui à l'atelier préparait les couleurs et les couches de fond ? Ce garçon a mis le feu à ma vie... Pour* La récolte de la manne, *je l'avais choisi comme modèle de canéphore. J'avais aussi peint Bruno, qui était à cette époque son amant, couché à même le sol, le regard perdu dans celui d'Arnaldo.*

Trois ans plus tard, leur couple s'était défait, et une passion violente me liait à Arnaldo. Mon amour pour lui (et le sien pour moi) n'étaient connus de personne dans l'atelier. Bruno avait accepté leur séparation avec bonne grâce, du moins ainsi nous le croyions, et continuait de déployer son talent, inégalé dans tout Florence, à peindre draperies et dentelles. (Te souviens-tu du brocart espagnol d'Eléonore, quand je l'ai peinte avec son fils Giovanni ? Il est de sa main.) Ses rapports avec Arnaldo me semblaient sereins, et si les anciens amants se réservaient d'amicales attentions, je n'étais pas jaloux, car lorsque le soir venu je retrouvais Arnaldo, sa vigueur et son abandon me convainquaient de ses sentiments, et il me semblait que désormais il avait besoin de moi autant que moi de lui.

Et puis j'ai commis l'irréparable. J'ai choisi Arnaldo pour donner un visage à la Providence. Me diras-tu pourquoi je n'ai pas appelé tel ou tel de mes modèles féminins ? Ce n'est pas ce qui manque à nous peintres florentins, des jeunes filles gracieuses et patientes, qui auraient été heureuses d'être peintes, parées de riches étoffes, dans des poses qui les embellissent...

Mais j'étais dans la passion, émerveillé qu'à mon âge un tel retour de vigueur fût encore possible. Alors je me suis perdu.

Je peignais Moïse croisant la Providence *à mon domicile, via dei Rucellai. Pour un motif que j'ignore, voilà qu'un soir Bruno s'annonce chez moi. J'étais absent. Letizia, qui a l'habitude de voir arriver des jeunes gens au milieu de la nuit, l'invite à rentrer. Elle est très vieille, et va se coucher. Bruno reste à m'attendre, puis, sans doute sous l'effet de l'impatience, il se lève, rôde, et finit par découvrir à la fois le tableau et ma liaison avec Arnaldo. La représentation de la belle Providence sous les traits de son ancien amant le bouleverse. A mon retour chez moi le lendemain matin, je le découvre étendu devant le tableau, la gorge tranchée, sa main serrant encore mon rasoir. Sur le coin inférieur du tableau, à gauche, il avait peint ce mot en lettres noires :* ASSASSINI.

Depuis ce jour, une vipère s'est nichée en moi, mon cher Luca. Chaque heure, chaque minute, elle me mord le foie. Me voici tout entier dans l'indignité et la solitude, comme si c'était ma main qui avait tenu le rasoir avec lequel Bruno a mis fin à sa vie.

Arnaldo s'en est retourné à Venise. Me voilà seul, mon ami très cher, seul et immensément triste, comme je mérite de l'être.

Porte-toi bien, mon beau Luca, et sache que malgré la honte et le désespoir, je reste ton très affectueusement dévoué

ANGELO DE M.
Florence, le 21 janvier 1548.

Au terme de la lecture, je ne sentais plus aucune fatigue. Mon cœur battait si fort que j'essayai de le calmer en tenant ma poitrine de la main. Tout indiquait que l'auteur de cette lettre était Bronzino.

Le drame s'était produit dans l'entourage d'un peintre à succès, j'en étais certain. Comment sinon aurait-il pu compter sur la collaboration d'apprentis d'une telle qualité ?

L'auteur de la lettre parlait du relief particulier donné à un personnage dans la fresque de la chapelle, celui qui prenait la pose de canéphore. Il précisait qu'il s'agissait de *La récolte de la manne.* Cette fresque est de Bronzino.

La lettre décrivait le portrait d'Eléonore de Tolède et de son fils Giovanni, connu pour la beauté du brocart que porte Eléonore. Le tissu, peint dans les tons bruns et beiges, occupe la moitié de la surface de la toile. Or ce tableau est d'Agnolo Bronzino.

Les deux personnages dont parlait l'auteur de la lettre étaient sûrement ceux qui se regardaient en amoureux, et dont Camillo et *padre* Andrea s'amusaient.

La Providence s'était ici rangée de mon côté. Cette lettre était de Bronzino. Si ce n'est qu'elle était signée Angelo de M. et pas Agnolo Bronzino.

Je quittai en courant la *sala Capponi* et appelai Bacigalupi.

— Si le nom que tu as lu est bien Angelo de M., alors là…

— Alors là quoi ?

— J'arrive.

Vingt minutes plus tard, Bacigalupi parcourait la lettre d'un air fiévreux. Je tentai de l'interroger, mais ce fut en vain. Il eut un geste de la main qui voulait dire : Pas maintenant, articula à peine un “attends”, et termina sa lecture les traits tirés. Il se saisit ensuite du reste de la pile et en examina les signatures une à une. Au bout de vingt-cinq ou trente pages, il s'arrêta d'un coup. Je m'apprêtais à ouvrir la bouche, mais il me fit à nouveau signe de me taire et scruta la lettre, le regard froncé. Il me prit ensuite par le bras et se leva. Je finis par comprendre qu'il voulait quitter la salle de lecture. Aussitôt passé la porte de verre, je l'interrogeai à nouveau.

— Un café d'abord.

Je le suivis docilement. Une fois assis à la cafétéria, Bacigalupi se pencha vers moi :

— *Sei un cornuto.*

Sa remarque raviva le souvenir de la nuit et me plongea dans l'amertume.

Il poursuivit :

— La lettre que tu as lue est de Bronzino. Angelo de M., c'est Angelo de Monticelli, son vrai nom. Il l'a utilisé jusqu'en 1529 ou 1530, lorsqu'il a adopté le surnom de Bronzino, à cause de sa chevelure rousse.

Il me laissa digérer l'émotion.

— Voici ce que j'ai compris. Bronzino entretenait une liaison avec l'un de ses apprentis, Arnaldo, le préparateur des couleurs et des couches de fond. Arnaldo avait été l'amant de Bruno, celui qui peignait les drapés et les brocarts. A l'occasion d'une visite au domicile de Bronzino, Bruno découvre la liaison de son ancien amant. A sa tristesse s'ajoute le dépit : son patron peint son ancien amant sous les traits d'une très belle femme. Il se tranche la gorge. Luca Martini envoie à Bronzino un mot de condoléances. La lettre que tu as lue en est la réponse. Bronzino trouve en Luca Martini un ami attentif et, surtout, éloigné de Florence, coupé des *brigate**, moins susceptible de révéler son secret au détour d'une phrase. En signant de son ancien patronyme, Bronzino préserve son secret. Il aura tenu quatre siècles...

— Tu en conclus ?

— Les indices que tu as relevés suffisent à démontrer qu'au-delà d'un doute raisonnable, la lettre est de Bronzino. Si elle est restée ignorée à ce jour, c'est parce que dans l'océan des archives florentines, tout n'a pas été analysé. Il se peut qu'un chercheur en ait commencé la lecture, qu'il ait conclu qu'il s'agissait d'un simple mot de remerciements, et n'ait pas été plus loin dans son étude. Quoi qu'il en soit, ce drame est un fait nouveau dans la vie de Bronzino. La lettre en établit les premiers contours. Et puis il y a cette deuxième lettre, datée du 3 août 1548, et signée, elle aussi, Angelo de M. Viens la lire.

— Je croyais que tu voulais m'en parler.

— Viens.

Je suivis Bacigalupi l'estomac noué, et entamai la lecture de la deuxième lettre.

En termes voilés, Angelo de M. racontait à Luca Martini ses tribulations avec

* Groupements d'artistes et d'intellectuels à Florence, du temps de la Renaissance.

Giovio. L'évêque lui avait commandé un couvercle destiné au portrait de Cosme Ier en habit de guerrier. Depuis que Bronzino avait peint les fresques de la chapelle d'Eléonore, au Palazzo Vecchio, Moïse était devenu figure de référence. Pour orner le couvercle du portrait de Cosme en habit de guerrier – son portrait officiel –, il fallait imaginer une représentation qui soit de force et de portée équivalentes. Cela expliquait le choix de peindre Moïse sous les traits du duc. Il croisait la Providence, celle à qui les grands hommes sont redevables des obstacles qu'elle met sous leurs pas et qui leur permettent de s'élever.

Fort de la parole de Bronzino, l'évêque s'était engagé à remettre à Pierfrancesco Riccio, le majordome de Cosme, "un couvercle orné d'une allégorie belle et majestueuse".

J'ai peint le prophète le buste tourné vers la gauche du tableau, écrivait Bronzino. *Il regarde la Providence. Elle est de profil, les yeux baissés. Les deux regards se croisent mais ne se rencontrent pas. Face à la majesté du prophète, la Providence adopte une attitude soumise. Ses traits sont ceux d'Arnaldo.*

Après la mort de Bruno, je ne souhaitais ni garder le tableau, ni le détruire.

Car vois-tu, mon cher Luca, ce Moïse croisant la Providence *est ce que j'ai peint de plus tendre et de plus beau. Je suis resté ainsi six mois, mentant mille fois à l'évêque, niant que le tableau fût terminé, pour à la fin me résoudre à le garder tel qu'il était avec le mot terrible de Bruno. Je l'ai fait recouvrir d'une couche de* gesso sottile *d'abord, d'une autre de vernis ensuite. Dessus, j'ai peint un simple texte, quelques mots de Niccolò, nous les avions lus ensemble à l'Académie, tu t'en souviendras, tu as une mémoire de notaire. Il y parle de la Providence, des occasions qu'elle offre aux grands hommes, par les obstacles qu'elle met sous leurs pieds, eux qui savent les surmonter. Ce texte n'est rien d'autre que l'expression écrite de l'allégorie. Je me disais que les deux tableaux, conçus dans le même geste d'amour, seraient dorénavant comme de faux* jumeaux* *: profondément semblables et pourtant d'apparence différente.*

Voilà qu'au moment de peindre le texte, je ne peux me résoudre à savoir

* Dans la version originale de la lettre, Bronzino utilise l'expression *"dei gemelli che si assumigliano aldilà della sumiglianza"*, des jumeaux qui se ressemblent au-delà des ressemblances. "Faux jumeaux" ne se dit pas en italien.

l'allégorie cachée pour toujours. Je veux qu'on sache que sous ce texte attend le plus tendre tableau qu'aura de toute sa vie peint Agnolo Bronzino. J'inscris une phrase de Virgile. Dans le texte de Niccolò, je remplace un mot par un autre. Je peins une main dont j'orne l'auriculaire d'une bague en pietra-dura *gravée d'un 2, mais à l'envers. Je multiplie les signes et les indices, pour que, par la grâce de la Providence, ce tableau soit un jour vu à nouveau. Car le biffer sans retour possible, mon bel ami, cela aurait été me biffer moi-même.*

Je ne dis rien à l'évêque des indices dont je parsème le couvercle. Je me perds dans des explications lourdes, prétends que l'allégorie sera plus forte dès lors qu'elle s'exprimera par un texte, que le risque de représenter Moïse sous les traits du duc m'a amené à reconsidérer toute la composition, qu'un tel travail, enfin, nécessitera un temps plus court, que déjà j'ai pris du retard, et ainsi de suite. Voilà, mon cher Luca, à quelles dissimulations j'ai abouti.

Après une formule de politesse, la lettre s'arrêtait brusquement.

Je me tournai vers Bacigalupi. Il me chuchota :

— Tu te rends compte de ce que tu viens de lire ?

Nous quittâmes à nouveau la salle pour la cafétéria.

— Il y a neuf chances sur dix que ton couvercle soit peint de deux couches : celle qui est visible et porte le texte de Machiavel qu'il appelle de son prénom, Niccolò, et celle qui, une fraction de millimètre au-dessous, représente *Moïse croisant la Providence*, le tableau dont Bronzino dit qu'il est "le plus tendre" qu'il ait jamais peint.

— Et si tel devait être le cas ?

— N'allons pas si vite. D'abord cela expliquerait les diverses clés mises en place par Bronzino sur la couche visible. Je t'avais fait part de ma réticence à les interpréter comme des signes qui révélaient un couvercle.

— Pas assez florentin !

— Exactement. En revanche, si ces indices ont pour propos d'indiquer au spectateur méritant que le tableau en cache un autre, ils prennent tout leur sens !

— Donc ?

— Je pense qu'il y a une première couche. Mais il reste encore plusieurs étapes à franchir avant de pouvoir l'affirmer pour de bon.

— Par exemple ?

— D'abord, procéder à un examen aux rayons X. Il devrait permettre de déceler la trace d'une peinture cachée. Tempère tout optimisme : tu le sais, les rayons X ne traversent pas le blanc de plomb. Ton tableau en paraît recouvert dans sa partie centrale. Tu n'auras donc d'indications que sur les parties périphériques.

— Admettons qu'apparaisse un indice. Que ferais-tu à ma place ?

— N'importe quelle municipalité, n'importe quel grand musée laisserait le tableau en l'état. Dans ton cas, la personne qui en est propriétaire a la maîtrise de sa décision. Si l'image radiologique est convaincante, elle peut prendre le risque de faire gratter la couche supérieure, pour retrouver, peut-être, une œuvre majeure de la peinture florentine. Que les musées du monde entier voudront acquérir…

— Sinon ?

— Elle se mordra les doigts d'avoir lâché la proie pour l'ombre… Beaucoup dépendra de l'examen aux rayons X.

L'excitation avait refoulé ma fatigue. Voilà qu'elle revenait d'un coup. Bacigalupi sourit :

— Tu m'as l'air fourbu. Je vais demander qu'on nous prépare des fac-similés des deux lettres. Tu devras revenir demain matin, j'imagine que tu auras à cœur d'examiner le reste de la liasse. Allons voir la chapelle d'Eléonore.

Un taxi nous déposa via Nanni, une ruelle étroite qui bordait les Offices. Bacigalupi prit une mine réjouie :

— On empruntera le pont Vasari.

Suspendu au niveau du cinquième étage, le pont reliait les Offices au Palazzo Vecchio. Bacigalupi me regarda d'un air complice :

— On fait comme faisait Cosme Ier lorsqu'il rentrait du bureau à la maison… *Forza !*

Une minute plus tard, nous étions au seuil de la petite chapelle. Deux colonnettes de laiton, que reliait un lourd cordon rouge, en interdisaient l'accès. Bacigalupi déplaça l'une d'elles, me prit par le bras et me plaça face au mur situé sur notre gauche. Bronzino y avait peint *La récolte de la manne*, l'un des épisodes de la vie de Moïse.

— Je te présente Arnaldo. Et voici Bruno.

Un vase posé sur son épaule, Arnaldo était presque nu, vêtu seulement d'un pagne jaune à reflets d'or. Sa posture était bien celle des canéphores, les porteuses de paniers. Malgré son corps lourdement musclé, il tenait le vase avec délicatesse, du bout des doigts, comme s'il n'avait aucun poids. Sa chevelure très fournie était coupée court, blonde et bouclée, enserrée par un tissu jaune à reflets bleus assorti à son pagne. Les traits de son visage étaient d'une grande finesse. Il était assis, les reins posés sur l'épaule droite d'un jeune homme à la peau très brune qui était couché à même le sol, Bruno. Ils se regardaient en amoureux, les yeux dans les yeux, semblant être seuls au monde. Debout à leur côté, un personnage féminin les observait avec une si tendre attention qu'elle en négligeait la sollicitation d'un enfant qui patientait, l'air déçu.

— La voilà, ta Providence, dit Bacigalupi en pointant son index en direction d'Arnaldo. Je l'imagine volontiers sous les traits d'une femme. Même s'il aura sans doute le cou un peu fort…

Je m'attardai sur le regard énamouré de Bruno. Les reins de son amant effleuraient son épaule nue. On aurait pu penser qu'entre ces deux-là, tout y était, la tendresse des sentiments autant que l'entente des corps. Pourtant Arnaldo allait lâcher son ami pour un autre, et Bruno se trancher la gorge. Je me dis que la fresque nous mentait. Puis je me ravisai. Elle ne mentait pas. Elle disait le présent.

— Je te laisse, j'ai une réunion.

Je serrai Bacigalupi dans mes bras, longuement, et quittai les Offices, les larmes aux yeux.

Piazza della Signoria, j'hésitai sur l'itinéraire à suivre pour gagner mon hôtel. La veille, le Lungarno ne m'avait pas réussi. Je choisis de rentrer par le dédale de ruelles qui séparaient les Offices de la piazza Goldoni. Je pensai que leur étroitesse m'aiderait à rester en moi-même, à garder les sentiments qui m'avaient balayé quelques instants plus tôt devant les fresques de la petite chapelle.

Alors que je me mettais en route en empruntant le borgo Santi Apostoli, une immense tristesse s'abattit sur moi. C'était une impression de dernière fois, la même qui m'avait envahi la veille, lorsque, du bureau de Bacigalupi, je contemplais le Ponte Vecchio. Allais-je jamais revoir les Offices ? Florence ? le borgo Santi Apostoli ? Je repensai aux deux apprentis de Bronzino, à leur amour magnifique vécu toutes voiles dehors. J'avais passé ma vie à cacher mes émotions. J'avais fait de leur dissimulation ma règle cardinale. Ne pas plonger dans le regard de l'autre. Ne pas s'y perdre. Ne pas risquer la douleur. Ne pas vivre librement.

Arrivé à mon hôtel, je m'étendis à même le couvre-lit. J'étais rompu. Je repensai à la première visite que j'avais faite à la chapelle, en compagnie de Camillo et *padre* Andrea. Les événements qui avaient entouré la mort de mon père me revinrent en mémoire : le retour à Spello avec ma mère, lorsque nous étions assis tous deux sur la banquette avant du corbillard. Les voyages en Topolino à Assise. Les fresques de Giotto. Les mots qu'avait prononcés Camillo sur le bonheur qu'il ressentait face à elles : *"E tutto mio"*, avait-il dit. Personne ne peut me le prendre. Le souvenir de mon émotion d'enfant me submergea. Camillo m'avait emmené à l'église de saint François le lendemain de l'enterrement de mon père, et j'avais vécu devant les fresques un sentiment lumineux qui m'avait ramené à lui.

Quel temps me restait-il à vivre ? A rattraper ? A aimer ? A me dévoiler ? Je rebranchai mon téléphone portable. J'y trouvai trois messages d'Anne-Catherine. Je l'appelai. Elle était soucieuse, tendre.

— J'ai même appelé ton hôtel, ils te l'ont dit ?

La porte de ma chambre s'ouvrait par une carte magnétique, et je n'étais pas passé par la réception. Anne-Catherine n'était pas rassurée. Je lui affirmai que j'allais bien, que mes recherches avançaient. Que j'avais quelque chose d'important à lui dire.

— Quelque chose de grave ?
— Important et pas grave.
Elle rit.

TROIS

LA PETITE SALLE de la Favola était bondée. Ses fenêtres étaient grandes ouvertes sur la rue Calvin, mais l'air restait figé.

— Je suis en retard. Il fait une chaleur !

Anne-Catherine s'assit et me regarda les yeux brillants. Le besoin de parler la tenaillait. Elle dit en rafale :

— Tu m'as manqué... Je te retrouve... Je suis heureuse...

Elle sortit un mouchoir de son sac, s'épongea le haut de la lèvre supérieure, et me fixa d'un air circonspect :

— Tu avais un problème avec ton portable ?

— Non, pourquoi ?

Elle sourit, puis à voix basse me demanda si, après notre rendez-vous au musée, nous irions chez moi. J'acquiesçai d'un sourire. Elle ajouta, le regard à nouveau incertain :

— Que voulais-tu me dire de grave ?

Qu'aurais-je voulu lui dire ? Tout. Si tu savais combien tu m'es importante. Je prends du Viagra. A propos, j'ai tué mon père.

Mais je n'osai pas. Il me serait plus aisé de lui parler après l'amour. Je fis un rapide calcul, bus mon verre d'eau d'une traite, et me levai.

— Je ne fais que boire. Pardon.

D'un geste du menton, j'indiquai les toilettes.

Elle sourit :

— Il fait si chaud...

Aussitôt fermée la porte du petit cabinet, penché au-dessus du lavabo, j'avalai trois pastilles de 25.

De retour à table, je voulus lui caresser les cheveux. Elle eut un mouvement de recul, mi-souriante, mi-méfiante :

— Ton portable n'avait rien, n'est-ce pas ?

Je ne répondis pas.

— A cause d'Alain ? Tu étais jaloux ? J'en étais sûre !

Elle se pencha vers moi et m'embrassa la joue. Dans son mouvement, elle appuya lourdement sa poitrine sur mon avant-bras, et ce contact me procura un bonheur rassurant.

— C'est de ça que tu voulais me parler ? D'Alain et moi ?

— Non, voyons.

Elle se réjouissait de la vie. De l'avenir. Moi, je courais après mes restes.

— Je t'aime.

Je lui murmurai un "Moi aussi" qui me fit honte, tant il était faux.

Au musée, Cécile Schaller, la technicienne, tenait le tableau à bout de bras et le faisait pivoter à la recherche d'une bonne lumière. Aussitôt qu'elle obtint l'inclinaison voulue, elle scruta la peinture à vouloir la percer du regard. Après une ou deux minutes, elle posa le tableau sur la machine à rayons X, sortit un mètre pliable de sa blouse blanche et entreprit une série de mesures, qu'elle interrompait pour noter des chiffres sur un cahier bleu. Elle dessina ensuite un rectangle, plus haut que large :

— Ça, c'est votre tableau. Ça – au centre du rectangle, elle inscrivit un carré –, c'est la partie de votre tableau couverte par le blanc de plomb. Il absorbera les rayons X. Si quelque chose a été peint sous ce rectangle, on ne le verra pas. Heureusement, le reste du couvercle est de couleur terre ou ocre. Là, nous n'aurons pas ce problème.

Elle traça ensuite deux lignes perpendiculaires qui subdivisaient le grand rectangle en quatre petits rectangles d'égale surface.

— Ces films – elle saisit une enveloppe rouge – sont sensibles aux rayons X. Ils font trente centimètres par quarante. Il faudra donc répéter l'opération quatre fois pour couvrir l'entier du tableau, deux fois en hauteur et deux en largeur. On numérote les films de 1 à 4. Au terme des analyses, les quatre films peuvent être assemblés par ordinateur en une seule image finale. On le fera si les résultats le justifient.

Elle plaça le tableau sur une plaque de plexiglas posée à un mètre du tube à rayons X, de façon que son quart supérieur gauche fût face à la fenêtre où passerait le flux de rayons. Elle posa le film marqué 1 sur le même quart du tableau et nous invita à quitter la pièce :

— Les radiations…

Située dans le couloir, la commande de la machine était pourvue d'une grosse manette rouge. Cécile Schaller s'en approcha, positionna une aiguille sur 120, puis abaissa la manette.

— Deux minutes, ça devrait suffire pour que les X traversent l'épaisseur du bois de peuplier.

Anne-Catherine me serrait le bras.

Une petite sonnerie annonça l'arrêt de l'irradiation.

— Il faut vérifier que le temps d'exposition a été bien choisi avant de procéder à la radiographie du deuxième rectangle. Voyons ce qu'a donné la première irradiation.

Elle nous conduisit à une chambre noire, située à quelques mètres du tableau de commande. Elle en verrouilla la porte de l'intérieur, alluma une lampe rouge, puis éteignit le plafonnier. Elle libéra le film de son enveloppe et le fit tremper successivement dans trois bacs, posés côte à côte sur un grand évier.

— Révélateur, rinçage, fixateur...

Dix minutes plus tard, Cécile Schaller plaqua la radiographie encore humide sur la table lumineuse. Une portion du film était blanche.

— Vous voyez là ? Les rayons n'ont pas passé. C'est le blanc de plomb de la couche supérieure qui les a stoppés. On s'y attendait. Mais ailleurs, il n'y a aucune trace marquante.

Elle fit une moue déçue.

— Cela ne veut pas dire que rien n'est peint. Il se peut que sur la partie supérieure gauche du tableau, Bronzino ait utilisé des ocres, des rouges ou des bruns qui n'offrent pas de résistance aux rayons. On va répéter l'opération sur le rectangle marqué 2, la partie supérieure droite. On verra bien.

Vingt minutes plus tard, Cécile Schaller ajustait la deuxième radiographie sur la table lumineuse.

— Regardez !

C'était presque un cri. Son index pointait un ensemble de lignes blanches à peine marquées.

— C'est le contour d'un visage, regardez ! C'est extraordinaire ! On suit l'arête du nez, la courbe d'un grand front bombé, on devine l'implantation des cheveux, là où cesse la ligne blanche.

Elle se tourna vers nous et ajouta :

— Un tableau a bel et bien été peint sous la représentation visible.

Anne-Catherine, toujours accrochée à mon bras, m'interrogeait par de petites pressions des doigts.

— C'est extraordinaire. On va poursuivre avec l'analyse des deux rectangles du bas.

Une demi-heure plus tard, les quatre radios étaient sur la table lumineuse, disposées comme les quatre quarts du tableau.

La troisième radiographie, celle du quart inférieur gauche, portait la trace d'un profil tourné vers la droite, le regard baissé. La ligne du front, basse et irrégulière, laissait présager une chevelure bouclée, abondante jusque sur le front. Les traits du visage étaient fins : arête du nez délicate, ourlet de la bouche marqué, surtout au niveau de la lèvre inférieure, ossature gracieuse. Seul le cou, trop épais, était inesthétique.

La quatrième radiographie, celle du coin inférieur droit, portait la trace d'une main.

Cécile Schaller se tourna vers moi :

— Qu'en dites-vous ?

— Je parle sous votre contrôle, Cécile. La main que montre la quatrième radio est celle qu'aujourd'hui nous voyons sur le tableau. Si quelque chose a été peint au-dessous, ce qui paraît vraisemblable, il s'agit d'une représentation qui n'aura pas nécessité l'utilisation de peinture au plomb, un paysage, un drapé, ou même un simple fond.

— Vous avez gardé le meilleur pour la fin ? demanda Cécile en souriant.

— C'est vrai. La troisième radiographie, celle du quart inférieur gauche, montre un profil qui rappelle celui du canéphore peint par Bronzino dans sa fresque de la chapelle d'Eléonore de Tolède. La trace marque le front, le nez, et même le cou. Tout porte à croire qu'il s'agit d'Arnaldo, son amant. Cela confirmerait la teneur des deux lettres de Bronzino à Luca Martini, celles qu'il a signées Angelo de M.

— C'est-à-dire ? demanda Anne-Catherine.

— C'est-à-dire, répondit Cécile, que votre tableau cache l'œuvre préférée de Bronzino. Et que vous seule pouvez décider de son dévoilement.

— C'est possible ?

— C'est le travail d'une restauratrice. J'utilise le féminin, car de nos jours, ce sont surtout des femmes qui restaurent. Il faut une telle patience... Pensez : on gratte au scalpel, pendant des semaines, les yeux vissés sur des binoculaires. Pour une surface restreinte telle que celle-ci, le travail peut s'étendre sur des mois...

Elle regarda le tableau et ajouta :

— C'est vrai que même comme ça, il est beau. Ce serait peut-être dommage... Et cette main est sublime. Prenez le temps de réfléchir.

Sur le chemin qui menait du musée à la rue de Candolle, nous passions par la rue Bellot. Anne-Catherine voulut s'arrêter chez elle. L'idée ne me convenait pas. La visite avait duré plus longtemps que prévu, et l'effet des pilules s'estompait. J'insistai :

— Je préférerais qu'on aille chez moi...

Elle sourit.

— Vas-y. Je te rejoins vite.

J'arrivai rue de Candolle écrasé de fatigue, tourmenté, surtout, par ce que je m'étais promis de révéler.

J'allai chercher deux pilules dans leur cache. Cela faisait cinq en tout, les trois premières, puis ces deux. Je me souvins que Nicolas prescrivait des pilules de 100. J'aurais absorbé l'équivalent d'une dose de 125, sur une période de quatre heures. Pour une fois…

Anne-Catherine arriva une demi-heure plus tard. Les pilules n'avaient pas eu le temps d'agir. Je temporisai :

— Toutes ces émotions m'ont creusé.

— Tu as déjà faim ? Il n'est que six heures. Tu veux que je te prépare quelque chose ?

Anne-Catherine n'avait jamais fait la cuisine chez moi. L'idée de la voir dans le rôle de femme au foyer me toucha. Je m'installai sur le canapé du salon et me laissai couler dans la somnolence.

Un quart d'heure plus tard, elle m'en sortit avec douceur.

— Viens manger.

Elle me souriait d'un air que je ne lui connaissais pas. Son regard était doux, un peu moqueur, presque maternel.

— J'ai fait avec ce que j'ai trouvé.

C'est dit comme une excuse. Du riz aux foies de volaille. J'entamai mon assiette. Puis je sentis le sol se dérober sous ma chaise. J'avais envie de disparaître.

De mourir. De ne plus avoir à regarder Anne-Catherine dans les yeux. Elle avait ouvert la boîte de riz. Celle où je gardais mes pilules.

— Je voulais t'en parler.
— J'avais compris. Ne t'inquiète pas.
— Et puis c'est occasionnel. Là, par exemple, je n'ai rien pris. Tu sais, s'il n'y a pas l'envie, on n'arrive à rien.
— Je comprends. Ne te fais pas de souci.

Nous mangeons en silence, puis nous faisons l'amour. Trop vite. Mal, bien sûr. Elle part tout de suite après.

— Repose-toi.

Des mots pour convalescent. Je reste étendu, hébété. Une heure passe. Demain, je lui parlerai. Je dirai que j'arrête. Que je n'en ai plus besoin. Non. Il me faudra être sincère. Lui expliquer. Dire qu'elle m'est essentielle. Que le reste est sans importance.

Usé par l'émotion, je m'assoupis. Je me réveille, le cœur battant la chamade. Il n'est que dix heures. Je compose son numéro. Elle ne répond pas. Elle doit pourtant être chez elle. Je recommence. Même résultat. Une fois encore un quart d'heure plus tard, puis chaque cinq ou dix minutes jusqu'à onze heures passées. Sans succès.

J'éprouve soudain le besoin de parler à Alain. Un besoin obsédant. Il est tard. Je remets mon appel au lendemain et retourne me coucher. J'éteins et reste dans le noir, les yeux grands ouverts. Un quart d'heure plus tard, je me lève et l'appelle.

— Tu as vu l'heure ?

— Je voulais te parler. Tu es seul ?

— Il y a Béatrice, tu sais…

— Bien sûr, bien sûr… Je t'appelle demain.

Je raccroche et retourne me coucher. Impossible de fermer l'œil. Dix minutes passent, puis vingt, je ne sais pas. Je rappelle Alain.

— Papa, tu vas bien ?

Je fais oui de la tête, comme s'il pouvait me voir. Que peut penser Alain, si ce n'est qu'il a un père gâteux qui joue au jeune ? Un père qui se rend ridicule. Qui s'exhibe avec une femme qui n'est pas pour lui. Il saurait quoi en faire, lui, d'une femme pareille. Il lui offrirait autre chose que le réchauffé d'un vieillard à chair flasque.

— Qu'est-ce qui te tracasse, papa ?

— Avec Benoît, tu es proche ? Vous êtes proches ?

— Bien sûr, papa.

— Et nous, on est proches ?

Il ne répond rien.

— Ma question t'embarrasse ?

Nos mots se croisent. Il lâche :
— Tu sais bien…
Bien sûr qu'elle l'embarrasse. A quoi ai-je passé mon temps depuis qu'il est né ? J'ai oublié Alain. Je n'y ai plus pensé. Entre les défausses de ma vie privée et la poursuite indécise d'une profession frivole, je l'ai mis de côté. La conscience tranquille. J'avais à faire. Sept années consacrées à écrire une thèse. Maître assistant. Maître d'enseignement et de recherche. Professeur associé. Professeur ordinaire. Professeur honoraire. Une carrière de province. De la représentation précieuse. Mondialement connu des douze spécialistes des mains de Raphaël, sujet pour lequel aucun ouvrage n'égale en autorité une thèse rédigée il y a quarante ans. Et de douze autres spécialistes de la métaphore chez Rubens. Une vie passée à faire le beau.
— Je te demande pardon.
— Mais non, papa. Tu m'as pris au dépourvu. Nos rapports sont bons. On ne se parle pas souvent, mais on se parle, regarde, là, on se parle…
— J'avais envie de te parler de mon père. De te raconter les circonstances de sa mort.
— La dernière fois que tu l'as fait doit remonter à trente ans.
— Je n'ai jamais aimé quelqu'un comme j'ai aimé mon père.

— Je sais, papa.
— Tu ne m'en veux pas ?
— Voyons, papa, tu n'as pas à te justifier.
— Tu sais comment il est mort ?
— Un accident de voiture.
— Tes grands-parents étaient employés de maison.
— Je sais, papa, chez les Rey-Castella.
— Oui, bien sûr, tu sais... Les dimanches, leurs patrons allaient déjeuner au golf. Ils s'y rendaient dans la voiture de madame. Tu vois, je pense à eux et je parle comme un larbin. Enfin... Après déjeuner, elle rentrait et son mari faisait ses neuf trous, comme il disait. Mon père allait le chercher à six heures trente, c'était l'habitude. Un dimanche d'août, voilà qu'un orage oblige Rey-Castella à interrompre sa partie de golf. Il appelle la maison. J'étais seul, mes parents étaient chez des amis, les Novelli, un couple d'Udine. C'était aux alentours de quatre heures et demie, bien avant l'heure où mon père devait reprendre son service. "Dis à ton papa de monter au golf dès qu'il arrive, je suis au bar." A ce moment-là j'étais à la petite cuisine du rez-de-chaussée, là où il y avait le poste de radio, j'écoutais la retransmission du match Lausanne-Servette sur Radio-Sottens. Squibbs faisait le commentaire.

A l'époque, c'était une vedette. Papa et moi nous étions des fans du Servette. Chaque dimanche, à son retour du golf, nous nous installions près de la radio, et maman savait que là, aucun de nous deux n'allait l'aider à mettre la table jusqu'à la fin des actualités sportives, à sept heures trente.

Ce 31 août, mes parents rentrent vers cinq heures. Le match n'est pas terminé. Mon père s'approche, me caresse la tête puis, sans rien dire, s'assied en face de moi. Il me sourit et fait de la main un geste interrogatif, typique des Italiens : Combien ? Un à zéro pour Servette. Il sourit, un sourire large, et en silence fait "bravo" des lèvres. Dix minutes plus tard, Servette a gagné. Un à zéro. Le match n'était pas à domicile, ce qui augmentait encore le mérite de l'équipe genevoise. Alors papa éteint le poste et me dit : "Raconte, Guido, raconte. Tu racontes si bien !" Du football, je connaissais à peine deux ou trois règles. J'avais onze ans... Je débite ce que j'ai retenu des formules toutes faites de Squibbs, comme "il a envoyé la mandarine" et "le gardien était archibattu". Le seul but du match avait eu lieu sur penalty. Là c'était facile : "Fatton a été méchamment fauché dans les seize mètres", et le penalty était "pleinement justifié".

Tiré par Fatton lui-même sur la gauche des buts de Studer, c'était un goal "sans bavure", le gardien lausannois avait plongé du mauvais côté. Je me souviens du regard de papa pendant que je lui faisais mon compte rendu. Il était éperdu d'admiration. Comme si c'était moi qui avais gagné le match. Après quoi il se met à me poser des questions. Il veut connaître mon avis sur telle ou telle phase du jeu, comment les choses auraient pu se passer, si je pense que l'écart aurait pu être plus grand. Le regard de mon père me donnait des ailes. J'étais porté, je sentais que chacun de mes mots allait le combler. Ils me venaient naturellement. Ces face-à-face avec papa, c'était, tu sais, comme l'amour, j'entends, l'amour avec une femme. Tu le fais tellement mieux lorsque tu sens que tu vas lui procurer du plaisir, qu'elle l'attend, qu'elle t'en est déjà reconnaissante, quoi que tu dises ou fasses, tu sais qu'elle le recevra comme un cadeau. J'ai appris quelques jours plus tard que chez les Novelli, mon père avait suivi le match à la radio jusqu'à ce que lui et maman rentrent. Je me suis alors dit que papa voulait connaître ma version du match, car il savait qu'il aurait ainsi le point de vue d'un connaisseur. Vers cinq heures et demie, l'orage se déchaîne. Rey-Castella rappelle.

Papa répond. Je comprends que Rey-Castella n'est pas content. Papa monte en vitesse chercher sa redingote, lâche quelques mots à maman, et court vers la voiture, parquée derrière la grande villa. Maman descend, l'air contrite. Elle me gronde du regard avant même de me demander : "Tu n'as pas dit à papa que monsieur l'attendait depuis une heure ?" "J'ai oublié." Elle me répond : *"Non si dimenticano le cose quando si tratta del pane*"*, puis elle reste à la cuisine. Je monte dans ma chambre et je me mets à pleurer en silence. Je ne veux pas que ma mère me console. La tendresse, c'était papa. Une demi-heure plus tard, le téléphone sonne encore. C'est à nouveau Rey-Castella. Maman décroche, je l'entends dire : "Mais il est parti tout de suite, monsieur, je vous assure." Là, elle est inquiète. Le club de golf est à dix minutes à peine. A l'époque, les embouteillages n'existaient pas. Elle répète sans cesse : *"Speriamo che non sia successo niente**."* Une demi-heure plus tard encore, j'entends la sonnerie du portail. Jusque-là, maman est d'une nervosité extrême. Elle ne tient pas en place,

* "On n'oublie pas les choses lorsqu'il s'agit du pain quotidien."
** "Espérons que rien ne soit arrivé."

j'entends ses va-et-vient dans la cuisine. Lorsque résonne la sonnerie, d'un coup elle ne bouge plus. Durant de longues secondes, je n'entends rien. Puis à nouveau la sonnette retentit. Là maman va ouvrir. Je descends à la cuisine. Du seuil de notre porte, je vois deux messieurs. Ils sont trempés. Elle fait : "Qu'est-ce qu'il y a ?" Ils demandent à maman de s'asseoir. Ils sont de la police. Papa a pris trop vite le virage qui mène du quai de Cologny à la rampe. La voiture a dérapé. Elle s'est fracassée contre le mur d'enceinte qui borde la rampe, sur sa gauche. Papa a été tué sur le coup.

Je m'arrête. Alain se racle la gorge.

— Pourquoi tu ne m'as jamais raconté ?

— C'était de ma faute.

— Tu avais onze ans, tu étais pris dans ton match. Tu as oublié, ça arrive.

— Quelques jours ou quelques semaines avant l'accident, je ne sais plus, les Rey-Castella étaient invités à une soirée huppée. Mon père devait chercher le smoking de son patron chez le teinturier. Lorsqu'il arrive devant le magasin, celui-ci a déjà fermé. J'étais dans la cuisine de la villa avec maman lorsque j'entends le patron dire à papa : "Vous êtes un incapable !" Je cours à la maison, enfin, la maison de gardien. Je m'enferme dans ma chambre. Papa arrive. Je refuse de lui ouvrir. Il insiste, je cède, et là, assis sur mon lit, mon papa me parle, puis d'un coup, lorsqu'il voit maman arriver, il se met à pleurer, mais à pleurer... Il sanglotait de tout son corps, répétait sans cesse : *"Io faccio il portatore d'acqua per te*.*" Il disait : C'est pour toi que nous sommes venus, sinon nous serions restés à Spello, à manger du pain et des olives. Pauvre papa. Je ne l'avais jamais vu autrement que gai, tendre, digne, surtout digne. Là, il était effondré. A le voir dans cet état, j'étais honteux, tu imagines. Son monsieur Rey-Castella, j'aurais voulu le bourrer de coups de pied dans les tibias, de toutes mes forces.

Lorsque Rey-Castella a téléphoné, le jour de l'accident, j'attendais papa avec impatience. J'avais une envie folle de lui raconter le match. Il se peut que cette envie m'ait distrait. Mais je haïssais Rey-Castella à un point... Le faire poireauter, c'était bien fait pour lui. Est-ce pour cela que je n'ai rien dit ? Je ne sais pas.

* "Pour toi je me fais porteur d'eau", expression italienne qui veut dire : "Je suis prêt à faire les tâches les plus pénibles."

— Pourquoi tu ne m'as pas raconté cette histoire plus tôt ?

— Je garde la sensation de sa main sur ma tête, quand il me caressait les cheveux. Je la sens, là, maintenant, comme s'il venait de le faire. Ça peut te paraître impossible, mais c'est vraiment ce que j'éprouve.

— Il avait de la chance d'avoir un fils comme toi, papa.

— Tu sais, Alain… Les instants de bonheur que j'ai vécus avec mon père, je les ai recherchés toute ma vie.

— Il devait être très fier de toi.

Alain ne comprend pas. Il ne sent pas. Que je suis perdu. Que c'est de façon délibérée que je n'ai pas rapporté le coup de téléphone à mon père. Que j'avais cet après-midi-là une conscience absolue de ce que je faisais.

— Tu étais sûrement le meilleur des fils, papa.

— J'aimerais tant te serrer contre moi, maintenant.

— Je sais, papa. Ne t'en fais pas.

— Chaque fois que nous nous voyons, je me dis : Je le ferai au moment de l'au revoir. Et puis je n'ose pas.

— Bien sûr, papa. A moi aussi cela ferait très plaisir.

Cela lui ferait “plaisir”.

DEUX

Les quatre radiographies recouvraient le tableau, posées exactement sur les zones dont elles portaient la trace. Il me suffisait de les parcourir du regard pour que le *Moïse croisant la Providence* m'apparaisse aussi clairement que s'il était déjà dévoilé. J'ôtai les radiographies et contemplai le tableau. Le texte, la main, les clés, tout était beau. Depuis que l'existence du *Moïse* était connue, le couvercle m'apparaissait plus profond. Plus subtil. Plus florentin...

Il aurait fallu pouvoir dévoiler l'un tout en gardant l'autre... Je m'adressai à la restauratrice.

— Vous voyez, là, au coin inférieur droit, la radio ne révèle rien, si ce n'est la main de la deuxième couche. On peut penser qu'au-dessous, il n'y a ni visage, ni chair, peut-être un drapé ou un fond, couleur terre ou ocre.

— Vous avez sans doute raison.

— Nous pourrions garder la partie inférieure droite comme témoin du tableau que nous avons sous les yeux. Imaginez un cercle virtuel dont le centre serait le coin inférieur droit du tableau, là où les bords horizontal et vertical de droite se rejoignent. Un arc de cercle qui part à trente-cinq centimètres de hauteur à droite, et qui descend sur la gauche jusqu'au bord horizontal du bas, comme ça, une sorte de quart de lune. Il engloberait la magnifique main qui tient la plume, ainsi qu'un fragment du texte de Machiavel. L'historicité du tableau serait préservée. Je peux même dire que l'essentiel du tableau serait maintenu. La frontière, marquée avec précision par l'arc de cercle, attesterait l'honnêteté de l'intervention. Sur le reste de la surface, le tableau initial pourrait être restauré. En haut à droite, on verrait le visage de Moïse, en bas à gauche, celui de la Providence. La conservation de la main et d'un fragment du texte n'enlèverait rien à la majesté de l'ensemble.

— C'est une idée magnifique, dit la restauratrice. Dans ce cas très particulier, on peut même dire que ce serait la plus juste des solutions. Il y a une relation très étroite entre les deux peintures. Bronzino le dit, elles sont jumelles. Celle du haut ne fait qu'exprimer en mots le message de celle du bas. En procédant à une révélation partielle, vous mettriez les deux expressions en communication. Cela étant…

— Oui ?

— Le travail au scalpel est un acte irréversible, professeur Gianotti, vous le savez mieux que moi… En voulant récupérer un tableau, on court le risque d'être déçu… De perdre ce que l'on a…

— Et qui est très beau, vous avez raison. C'est à Mme Hugues de décider.

Anne-Catherine était silencieuse, le regard hésitant.

A l'aide d'une loupe, la restauratrice scrutait plusieurs zones du tableau, puis elle se tourna vers Anne-Catherine.

— Voici deux ou trois éléments qui vous permettront de prendre une décision. Le bois est dans un état de conservation remarquable. Cela nous sera probablement confirmé par un examen aux binoculaires. Il n'y a pas eu d'attaque de ver à bois, pas de micro-galeries, pas d'affaissements.

— Non ?

C'était un non à peine audible. Anne-Catherine aurait voulu parler d'autre chose. Dire, par exemple : Je croyais que j'allais vivre quelque chose de nouveau. Qu'un homme allait m'apporter une attention, une tendresse. Une considération. Mais ce qui intéresse l'homme que j'aime, c'est de continuer à faire le beau. C'est ça la vie, pour toi, Guido ? Entendre sans cesse *"Bravo Guido"* ?

— Il y a une autre très bonne nouvelle, poursuivit la restauratrice, et c'est à vous que je la dois, professeur. Dans l'une des lettres à son ami Martini, Bronzino écrit qu'il a retardé la livraison du couvercle à l'évêque. L'un de ses motifs était sans doute d'attendre que le premier tableau, celui qu'on ne voit pas, fût sec. C'était une condition indispensable pour qu'il puisse l'enduire de la couche de *gesso sottile* sur lequel il a peint le texte que nous voyons. Si les choses se sont passées ainsi, la première couche devrait être bien conservée. Mais la vérité ne peut être révélée que par le grattage au scalpel.

— Je ne voudrais pas être celle qui détruit, lâcha Anne-Catherine.

— Je vous comprends, dit la restauratrice. A votre place je serais sans doute réticente. Elle ajouta : Même si c'est contre mon intérêt...

— Il faut le découvrir, dit finalement Anne-Catherine d'une voix blanche.

Elle sembla hésiter quelques secondes, puis ajouta :

— A quoi bon dissimuler ? Cela ne fait que perpétuer la douleur.

UN

LE SALON Impératrice était bondé. Debout derrière sa table haute, la commissaire-priseur de Harper's était aux aguets, balayant sans cesse la salle du regard, scrutant les visages, faisant un signe à l'un, souriant à l'autre. Sur sa gauche, sept personnes, assises côte à côte à une longue table, étaient en conversation téléphonique, concentrées, visage tendu. Accroché au mur et visible de tous, un tableau électronique indiquait l'enchère de départ en cinq devises différentes. Le montant exprimé en euros était un chiffre rond : cinquante millions. Dans la partie inférieure du tableau, un chronomètre à gros chiffres rouges affichait quatre zéros.

*

Le tableau était posé à droite de la commissaire, sur un chevalet. La Providence avait les yeux baissés. On l'aurait dite heureuse de s'incliner devant l'autorité du prophète. Bronzino l'avait peinte à peine vêtue. Sa robe à une épaule ne recouvrait que la partie droite de sa poitrine. Elle était gansée autour du sein gauche par une double bretelle de soie qui contournait entièrement le cou. Cousue sur la bretelle, une mousseline rouge cachait le sein et le haut du bras. Elle était froncée, et les reflets de ses plis allaient du jaune au cramoisi, en passant par l'orangé. Portée près du corps, elle valorisait la poitrine et en suggérait la rondeur.

Une raie médiane partageait la chevelure bouclée de la Providence. Autour de son front, deux tresses formaient une petite couronne qu'entourait un ruban de satin. Il était bleu ciel dans sa partie plate, avec des reflets bleu roi dans les parties ombragées, ce qui créait un effet de dégradé d'une grande délicatesse. Une mantille vert amande, posée sur ses épaules, faisait ressortir le teint nacré de son visage.

Ses traits étaient ceux d'Arnaldo. Sur le coin inférieur gauche, le mot d'adieu de Bruno avait été restauré. Il atteignait le spectateur avec la férocité d'un acte d'accusation : *ASSASSINI.*

La tête oblongue, la barbe courte et bouclée, la bouche mince, le nez court,

Moïse avait les traits de Cosme Ier. Son regard était insaisissable, à la fois intense et distant. Un drapé de soie entourait ses épaules. Clair, presque rose sur ses à-plats, le drapé s'assombrissait dans les plis jusqu'au rouge profond.

La partie du tableau qui avait été conservée – la main qui tenait la plume d'oie, ainsi qu'un fragment du texte de Machiavel – avait été restaurée. On y retrouvait du bleu, du vert, du jaune orangé, les tons frais et légers que Bronzino avait utilisés pour peindre les fresques de la chapelle d'Eléonore de Tolède.

Les mots de Bronzino à son ami Martini me revinrent en mémoire : *Car, vois-tu, mon cher Luca, ce* Moïse croisant la Providence *est ce que j'ai peint de plus tendre et de plus beau*.

*

Une hôtesse nous indiqua deux sièges, marqués "réservé", placés contre la paroi sur le côté gauche de la salle.

Devant nous, d'élégantes chaises pliantes rouge et or, disposées sur une quinzaine de rangs, occupaient la partie centrale du salon Impératrice. Les invités placés aux premiers rangs étaient presque tous debout, à saluer de loin ou à scruter à la ronde. Je fus frappé par l'énergie vitale qui se dégageait de leurs postures et de leurs regards. J'en étais à la fois admiratif et effrayé, sans doute à cause de ma fatigue et de mon découragement. Pourquoi tout ce monde ? La commissaire-priseur nous avait confirmé la veille que ce serait d'abord une partie à quatre, entre musées, puis très vite une partie à deux. Les surenchérisseurs privés, les grandes fortunes, jamais présents aux ventes, étaient plus nombreux : sept, je le compris au nombre de personnes chargées des enchères téléphoniques.

Que cherchaient les autres ? Qui étaient-ils ? Des financiers, sans doute, patrons de grands groupes venus en force, avec épouses, amis et collègues de Paris, Londres ou Milan, fêter l'instant où la beauté deviendrait propriété de la force. Un chef-d'œuvre était sur le point d'être appréhendé par l'argent, et le monde de l'argent, c'était eux. Peut-être y avait-il aussi quelques riches expatriés installés à Genève dans le confort d'un forfait fiscal, ou encore un banquier privé, gêné, sans doute, de se retrouver mêlé à tant d'indiscrétion déjà.

Mon regard glissa vers les occupants des derniers rangs. Leurs attitudes étaient plus modestes. Intermédiaires de tous bords, agents d'affaires ou jeunes avocats, ils devaient être contents de côtoyer les précédents, impatients de serrer la main de l'un, de se rappeler au bon souvenir de l'autre, afin de pouvoir, dès le lendemain, glisser à leur entourage : "Tu ne devineras jamais qui, hier soir, m'a donné une tape sur l'épaule." Quitte, pour cela, à inverser l'ordre des initiatives.

J'aperçus Bacigalupi debout au fond de la salle. Je ne m'attendais pas à le voir. Les Offices ne peuvent se mesurer aux grands musées américains, m'avait-il répété cent fois. Le Louvre et la National Gallery de Londres étaient sur les rangs, sans grand espoir eux non plus. Ils se savaient en concurrence avec le Getty et surtout le Metropolitan de New York, représenté par Gary Tintorow, grand spécialiste de la peinture impressionniste. Racé, toujours d'une grande élégance, si Tintorow était là, c'était pour ses nerfs d'acier.

Les grands critiques d'art, Souren Melikian, du *Herald Tribune*, Philippe Dagen, du *Monde*, John Kissick, du *Financial Times*, étaient assis côte à côte au cinquième rang. Eux n'étaient sans doute pas dupes de la violence du rendez-vous.

Le regard sans cesse mobile, la commissaire prenait des notes, inscrivant sans doute les noms des grands enchérisseurs sur son plan de salle. Aucune maison n'avait jamais organisé une vente pour un seul tableau. Tout allait se jouer en cinq minutes au plus. Les enjeux pour Harper's étaient immenses. La commissaire n'avait aucun droit à l'erreur.

Un couple s'approcha de nous, la cinquantaine sobrement élégante. Un beau couple. Ils embrassèrent Anne-Catherine. Elle était blême. Ils me dévisagèrent, l'air mal à l'aise. Anne-Catherine finit par me présenter, sans les nommer. "Mais bien sûr !" fit la dame élégante. "Mais oui", ajouta son mari. C'était dit avec une bienveillance trop soutenue. Ils s'éclipsèrent.

— Tu ne m'as pas dit leur nom.

— Rey-Castella. Des cousins.

— A toi ou à eux ?

— A eux.

La commissaire tapota son micro.

— Mesdames et messieurs, nous allons procéder à une vente aux enchères tout à fait exceptionnelle. Dû à Bronzino, *Moïse croisant la Providence* est le couvercle du portrait de Cosme Ier en habit de guerrier. Il s'agit d'une pièce majeure de la Renaissance florentine. Son authenticité ne fait aucun doute. Elle est confirmée par l'étude très complète du professeur Gianotti, spécialiste mondialement reconnu de la peinture florentine, et corroborée par diverses correspondances d'époque, dont deux lettres de la main de Bronzino à son ami Luca Martini, une lettre de l'évêque Paolo Giovio, commanditaire de l'œuvre, adressée à Bronzino, une autre enfin que Pierfrancesco Riccio, le majordome de Cosme Ier, a écrite à Giovio. Ces quatre lettres ponctuent l'histoire du tableau et de son couvercle. Bronzino a peint *Moïse croisant la Providence* en 1548, puis l'a recouvert d'un texte, dans des circonstances dramatiques qui nous sont désormais connues, et que rappelle le mot écrit en lettres noires au bas du tableau : *ASSASSINI.* La partie inférieure droite du couvercle a été restaurée et garde intact un fragment de la deuxième couche.

Je cherchai le visage ingrat de Rebecca Fleisher, la présidente du Getty Museum. Sans succès.

— Vous avez eu l'occasion de découvrir, dans notre catalogue, les fac-similés de ces quatre lettres, ainsi que celui d'une lettre plus récente, datant du milieu du XXe siècle, qui nous éclaire sur les pérégrinations suivies par cette pièce exceptionnelle jusqu'à ce qu'elle atteigne

Genève, dans les malles, si j'ose dire, d'une de ses plus anciennes familles protestantes d'origine toscane.

La commissaire-priseur semblait beaucoup aimer ces instants. Ils créaient l'attente, limaient les nerfs des enchérisseurs, nourrissaient leur vanité. Ils les pousseraient sans doute à articuler des prix absurdes.

Je comptai : six caméras de télévision. Onze photographes. Au fond de la salle, des curieux, debout, agglutinés par dizaines.

La commissaire-priseur énonçait les règles de la vente. Garanties. Conditions de paiement. Défaut. Quand elle en eut terminé, elle arbora un sourire gêné. Il venait corriger une fausse note et voulait dire : "Je sais bien que ces règles ne vous concernent pas. Elles sont pour l'humanité moyenne. Qui aurait l'outrecuidance de penser que vous en faites partie ? Nous sommes au sommet de la pyramide, chers amis, et ce tableau, dont vous seuls allez décider le devenir, en est l'éclatante preuve."

Je repérai enfin Rebecca Fleisher. La soixantaine, petite de taille, forte, laide, richissime, et comme toujours très élégante. Assise tout à gauche au dernier rang, elle avait légèrement décalé sa chaise, pour mieux observer la salle, autant sans doute que pour accommoder sa large constitution qui débordait de part et d'autre du petit siège. Elle gardait les yeux braqués sur le tableau. En 1989, le Getty avait acheté le *Portrait d'un hallebardier*, attribué à Pontormo. Les traits du jeune hallebardier étaient ceux de Cosme, du temps où il n'était pas encore Cosme Ier. Acquérir le *Moïse* et pouvoir présenter côte à côte les deux tableaux auxquels le duc de Florence avait prêté ses traits, ce serait la gloire. Le Getty choisirait sans doute de les exposer dans l'une des salles les plus prestigieuses de sa villa antique. Elle venait d'être rénovée, ce serait pour le musée l'occasion d'offrir à ses visiteurs un passage incontournable, comme celui de la *Joconde* au musée du Louvre. Remporter l'enchère assurerait Rebecca Fleisher d'une ou deux réélections au poste le plus convoité du monde des musées.

Je cherchai le visage de Damien Courteau, le directeur du Louvre. Sans succès.

Les yeux de Rebecca Fleisher n'avaient pas quitté le tableau. Le regard qui filtrait à travers ses paupières mi-closes n'était qu'un filet bleu acier. Il surplombait un nez aquilin. Sa bouche, trop maquillée, était mince elle aussi. Ce visage avait un mérite. Il jouait cartes sur table. C'était celui d'une bête de proie dont on pressentait la férocité absolue, frémissante, prête à saisir de ses griffes ce que le monde des humains avait produit de plus beau.

— Mesdames, messieurs, la vente va commencer. Comme vous avez pu le lire dans le catalogue, l'objet est estimé entre soixante-quinze et quatre-vingt-cinq millions d'euros. L'enchère de départ est fixée à cinquante millions d'euros.

Dans trois minutes, quatre au plus, tout serait terminé. L'histoire des ventes aux enchères aurait un nouveau jalon.

La commissaire-priseur chercha des yeux chacun des quelques acheteurs qu'elle connaissait bien, puis balaya d'un regard les sept collaborateurs qui étaient en liaison téléphonique avec leurs clients.

— *Moïse croisant la Providence.* Nous démarrons à cinquante millions d'euros, mesdames et messieurs.

Les petites raquettes de plastique marquées d'un numéro, la règle dans toutes les ventes, n'avaient pas été distribuées. Tout se jouait dans la discrétion.

— Je vois cinquante-deux, quatre, six. Huit, soixante, deux, quatre, six, huit, soixante-dix…

Le regard d'aigle de Rebecca Fleisher virevolta. Il quitta la commissaire, scruta les rangs, passa aux téléphonistes.

— Soixante-seize, dix-huit... Soixante-dix-huit millions d'euros.

Je regardai le chronomètre situé au bas du tableau électronique. La vente avait commencé depuis vingt-neuf secondes. Quatre des téléphonistes avaient déjà raccroché leur combiné.

— Quatre-vingt-cinq, dix, nous avons quatre-vingt-dix à ma droite.

La commissaire laissa un temps d'attente aux trois téléphonistes encore en course. L'un d'eux lui fit un signe de tête.

Une minute zéro six.

— Quatre-vingt-quinze millions d'euros, mesdames et messieurs, quatre-vingt-quinze millions d'euros.

Un autre téléphoniste raccrocha. Rebecca Fleisher ne broncha pas.

— Nous avons cent millions dans la salle à ma gauche, cent millions d'euros...

Une minute quarante-deux.

La commissaire jeta un coup d'œil au seul téléphoniste qui n'avait pas raccroché. Il palabra durant près de vingt secondes, puis haussa les sourcils, regarda la commissaire, lui fit non de la tête, et raccrocha. Il n'y avait plus d'acheteur privé.

— Nous avons cent millions dans la salle à ma gauche, cent millions, une fois.

Deux minutes vingt.

De la tête, Rebecca Fleisher fit un petit signe d'approbation.

— Cent cinq millions dans la salle, mesdames et messieurs, cent cinq millions.

Deux minutes vingt-six.

Rebecca Fleisher avait les yeux plongés sur un point fixe. Le Louvre s'était sans doute retiré. Il ne devait rester face à elle que le Metropolitan de New York. C'était Gary Tintorow que Rebecca devait être en train de transpercer du regard. Il n'était plus dans mon champ de vision. Soudain, elle tressaillit. Il avait dû faire un geste. Dans la seconde qui suivit, la voix de la commissaire fila vers le haut, plus tendue d'un coup.

— Cent dix millions d'euros dans la salle. Cent dix millions, mesdames et messieurs. Nous allons revenir à des enchères par demi-paliers, à deux millions et demi.

Deux minutes quarante-huit.

La commissaire l'avait compris. Les enchères étaient pratiquement terminées. Elle voulait augmenter la facture de deux millions et demi. A douze pour cent de commission, ce dernier coup de collier lui rapporterait trois cent mille euros de plus. Sa maison gagnerait des millions.

La tête de Rebecca Fleisher se lança dans un petit mouvement sec et répété, de haut en bas, à peine perceptible. Il aurait pu être pris pour un tremblement.

— Cent douze millions cinq cent mille dans la salle, mesdames et messieurs, cent douze millions cinq cent mille…

Le regard de la commissaire était fixe sur sa gauche. Sourcils levés, elle interrogeait du regard.

— Non ? Cent douze millions cinq cent mille ? Une fois ? Deux fois ?

Son regard se porta en direction de Rebecca Fleisher. Elle abattit son marteau.

— *Moïse croisant la Providence* adjugé dans la salle à cent douze millions cinq cent mille euros. Merci, mesdames et messieurs.

Un tonnerre d'applaudissements salua la fin de la vente. Elle avait duré trois minutes et vingt-deux secondes. Le salon Impératrice avait été une fois encore le lieu d'un partage. Le devenir d'un chef-d'œuvre y avait été décidé selon la règle qui permettait aux hommes de vivre en paix : la loi du plus fort. Ils s'étaient retrouvés en bon ordre. Chacun avait accompli son devoir. Ceux qui dictaient et ceux qui suivaient. Le produit de la chasse avait été accaparé par qui avait imposé aux autres la plus forte aptitude à posséder, le plus féroce besoin de crier : “Moi ! Moi ! Moi ! Je donne plus !”, sachant qu’à la fin il serait félicité pour sa bravoure, et n’imaginant pas une seule seconde que quiconque pourrait être gêné devant tant d’inconvenance. La violence des quelques minutes que je venais de vivre me fit soudain considérer le monde comme un tout d’une cohérence parfaite. Fauves et moutons, chacun y trouvait son compte. Leurs destins s’emboîtaient les uns dans les autres avec harmonie, et même avec grâce. Tout était logique. Fort. Rien n’était absurde. Si je n’y avais pas ma place, c’était de ma seule faute. J’en étais resté toute ma vie à attendre que quelqu’un, après mon père, me dise : Dagheloli ! Raconte, Guido, raconte, tu racontes si bien.

Rebecca Fleisher était assise, le regard fixé au sol. Elle devait savourer son triomphe, anticiper les délices de l’extraordinaire notoriété à venir. La presse filmait, photographiait, enregistrait, mais ce qui s’était réellement passé lui échappait. Sans doute qu’au retour de Rebecca Fleisher à Los Angeles, le Getty publierait un communiqué. Tout se saurait enfin.

L'émotion m'avait épuisé. Je me tournai vers Anne-Catherine. Ses traits étaient tirés.

— Tu es contente ?

Elle jeta un coup d'œil autour de nous, puis, furtivement, de l'index elle me caressa la main.

— On va chez moi ?

Je ressentis une lassitude immense. Je palpai la pochette de ma veste et reconnus le bruit du blister à travers le tissu. Je fis oui de la tête, ajoutai : Excuse-moi, j'arrive.

*

Dans les toilettes de l'hôtel, je fais sauter trois des quatre pastilles du blister. Penché sur le robinet, je tente de les avaler. L'une d'elles me reste collée à la gorge. Je recommence, bois longuement. Finalement elle se décolle. L'écoulement prolongé du robinet m'a donné envie d'uriner. Après que j'ai remonté ma fermeture éclair, un dernier jet s'échappe. Je me place devant le miroir du lavabo. Au moins la tache n'est pas visible. J'époussette ma veste, resserre le nœud de ma cravate, me recoiffe et baigne mon visage d'une poignée d'eau. Je m'apprête à fermer le robinet, puis me ravise et décide de prendre une quatrième pastille. A son tour elle me reste collée à la gorge. Je suis trop faible pour l'avaler. Je suis inapte. Las. Mes yeux se remplissent de larmes. De peur d'être ainsi surpris, je retourne m'enfermer dans l'une des cabines de W.-C. Je me calme, sèche mes yeux, me mouche, et quitte les toilettes en évitant de tourner la tête en direction du miroir.

Le hall du Palace est envahi par ceux qui quelques minutes plus tôt assistaient aux enchères. C'est l'heure de rentrer. Mais chacun doit d'abord se libérer des tensions qui une heure durant l'ont lié aux autres. Elles faisaient d'eux une masse compacte. Il faut commenter, interpeller, promettre de se revoir avant de pouvoir prendre congé, et il se dégage de cette angoisse un brouhaha qui me donne le vertige. Du bout des doigts je prends appui sur l'une des colonnes du hall et ferme les yeux, le temps de retrouver l'équilibre.

— Je m'inquiétais.

C'est la voix d'Anne-Catherine. Son regard est embarrassé. Elle me tend mon manteau.
— Les Rey-Castella m'ont proposé de nous raccompagner en voiture. Tu

avais l'air fatigué, j'ai accepté. Ils sont déjà dehors.

Je lui dis que je veux rentrer à pied, que l'air frais me fera du bien. Mon refus la contrarie. Elle sort palabrer, revient, l'air déçue.

— Tu sais, ils me l'avaient proposé très gentiment.

Arrivé au bout du quai du Mont-Blanc, j'insiste pour que nous empruntions le pont des Bergues.

— On sera chez moi plus vite par le pont du Mont-Blanc, tu ne crois pas ?

J'insiste. Le détour allongera le trajet de quelques minutes, cinq ou dix. Il ajoutera aussi à la fatigue qui me pénètre partout. Je la sens présente dans tout mon corps. Je compte sur les pilules. Elles feront leur travail. Elles le font toujours. Nous arriverons rue Bellot bien avant qu'elles aient eu le temps d'agir. Tout ira bien.

La brume est telle que l'on ne voit pas à trois mètres. L'air est humide, glacial comme il sait l'être à Genève au début de l'hiver. Anne-Catherine me prend le bras. Il m'aurait plu qu'elle me prenne le bras plus tôt, au moment où nous quittions l'hôtel.

— C'était difficile de dire non aux Rey-Castella ?

— Je ne suis pas forte, tu le sais.

*

Alors que nous passions l'île Rousseau, elle s'était rapprochée de moi, et dans le même mouvement avait serré mon bras contre sa poitrine. Ce contact tendre m'avait bouleversé. Je m'étais dit qu'à aucun instant nous ne nous étions aimés aussi profondément. Nous étions sincères l'un à l'autre plus que nous n'avions jamais réussi à l'être. Chacun de nous deux avait une conscience lucide de sa solitude, et cela nous rendait à la fois tristes et très proches. J'avais la sensation de vivre l'un des moments les plus complets de ma vie.

*

Chez Anne-Catherine, j'ai les jambes lourdes, les joues en feu. Je fais l'amour avec fatigue. Ce n'est pas mon sexe qui fonctionne mal. C'est tout mon corps. Les bras, les épaules, le ventre, les mains. Chaque partie est si lourde.

Soudain, ma poitrine éclate. Mon bras gauche est happé par une tenaille d'acier. Mon cou est en feu.

*

— Une ischémie du myocarde, dit le brancardier. On quitte la rue Bellot. On est là dans deux minutes.

*

Le compte à rebours est achevé.

Je tombe en vrille. Je tombe, je tombe. Enfin je déploie mes bras. Je monte, monte, m'élève dans le ciel. Je plane, dans l'immensité noire et tiède, et la main de mon père me caresse les cheveux.

ÉPILOGUE

4, rue Bellot,
Genève.
Le 25 novembre.

Bien cher Alain,

Vos lignes m'ont bouleversée. Je les lis et relis, chaque fois avec une émotion plus grande. Le chagrin est là, bien sûr, mais vos paroles si attentionnées l'embellissent.

Vous me dites que votre père s'était "interdit de bonheur" jusqu'à ce qu'il me rencontre. Moi qui craignais toujours de paraître idiote à ses yeux... Plus que tout au monde, je souhaite l'avoir aimé comme il méritait de l'être.

Vous le savez, il vivait avec au cœur une blessure béante, celle de la mort de son propre père, et de ses circonstances, dont je n'ai pas vraiment su ce qu'elles avaient été. Je crois que de toutes ses forces il a voulu éviter qu'une fois encore on ne lui arrache un grand bonheur. Alors la vie lui aurait été insupportable. Et vous voyez, une valve aortique qui lâche, c'est un trou dans le cœur, et c'est de cela qu'il est mort.

Un jour sans doute, le chagrin se sera fatigué. J'espère qu'alors nous nous reverrons.

Je vous embrasse,

ANNE-CATHERINE.

TABLE

BABEL

Extrait du catalogue

903. MATHIAS ÉNARD
La Perfection du tir

904. ANTOINE PIAZZA
Les Ronces

905. ARNAUD RYKNER
Nur

906. ANNE BRAGANCE
Danseuse en rouge

907. RAYMOND JEAN
Un fantasme de Bella B.

908. ÉRIC NONN
Une question de jours

909. OMAR KHAYYÂM
Robâiyât

Ouvrage réalisé par l'atelier graphique Actes Sud. Reproduit et achevé d'imprimer en juillet 2016 par Normandie Roto Impression s.a.s., 61250 Lonrai sur papier fabriqué à partir de bois provenant de forêts gérées durablement (www.fsc.org) pour le compte des éditions Actes Sud, Le Méjan, place Nina-Berberova, 13200 Arles.
Dépôt légal 1re édition : septembre 2008.
N° d'impression : 1603183
(Imprimé en France)